# EL GRAN LIBRO DE MUESTRARIO DE GANCHILLO

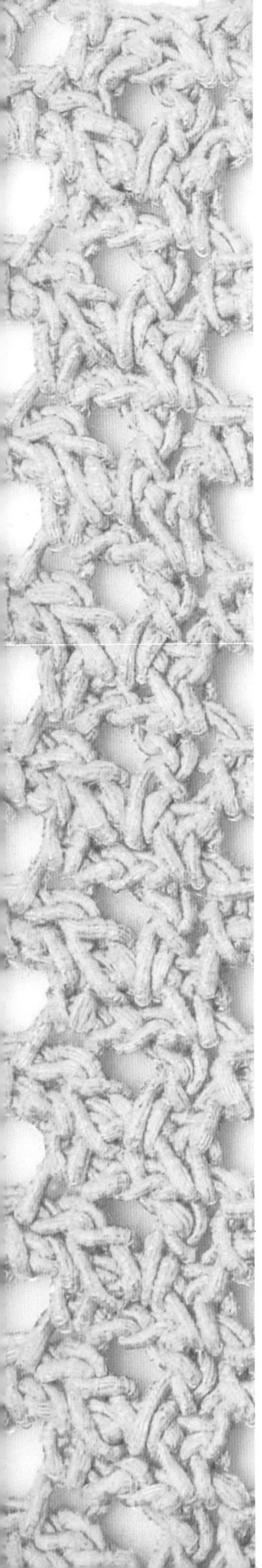

Editora: Eva Domingo



Publicado por primera vez en Alemania por Christophorus Verlag GmbH & Co. KG, Freiburg, con el título: *Das große Buch der Häkelmuster*.


Marqués de Urquijo, 34. 28008 Madrid.
Tel: 91 559 98 32. Fax: 91 541 02 35.
E-mail: info@editorialeldrac.com
www.editorialeldrac.com

Diseño de cubierta: José M.ª Alcoceba
Traducción: María Soria
Revisión técnica: Esperanza González

ISBN: 978-84-9874-196-4
Depósito legal: M-13.995-2011
Impreso en ORYMU, S.A.
Impreso en España – *Printed in Spain*

# Un completo muestrario de ganchillo

Este libro les ofrece todas las posibilidades de dar rienda suelta a su creatividad con el ganchillo. Una gran selección de muestras permite elegir de forma acertada el modelo idóneo para su proyecto. No importa que busquen una muestra para realizar un bolso, una colcha o un jersey, seguro que aquí la encuentran.

Se expone una amplia variedad de muestras, desde las planas para superficies grandes hasta las onduladas con varios colores, pasando por muestras con relieve que aportan una gran calidez o caladas con efectos fascinantes. Los aficionados al ganchillo quedarán también fascinados con el patchwork y los encajes con terminaciones regias.

La exposición de las muestras con una foto y referencia de la página proporciona una rápida perspectiva de todas las que aparecen en este libro y facilita su localización.

Junto a cada una de las muestras se encuentra un esquema de puntos y la explicación de los signos, para poder así comenzar de inmediato a trabajar.

Solo nos queda desearles que lo pasen muy bien al experimentar con las diferentes muestras e hilos.

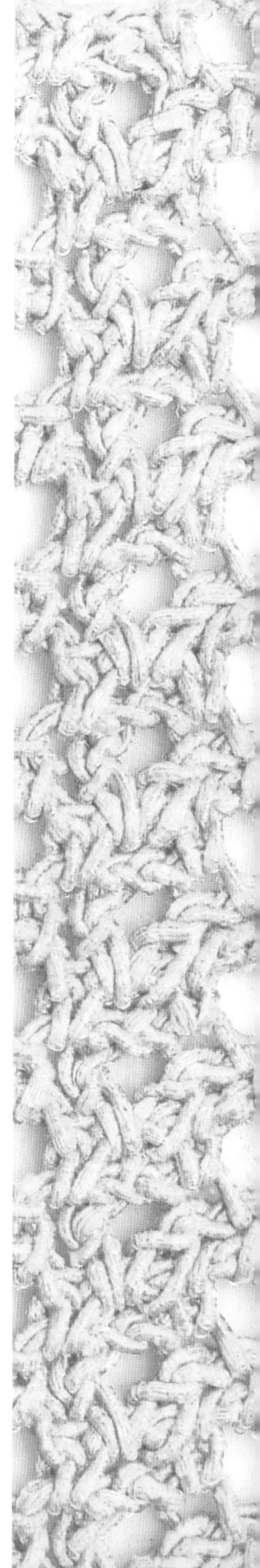

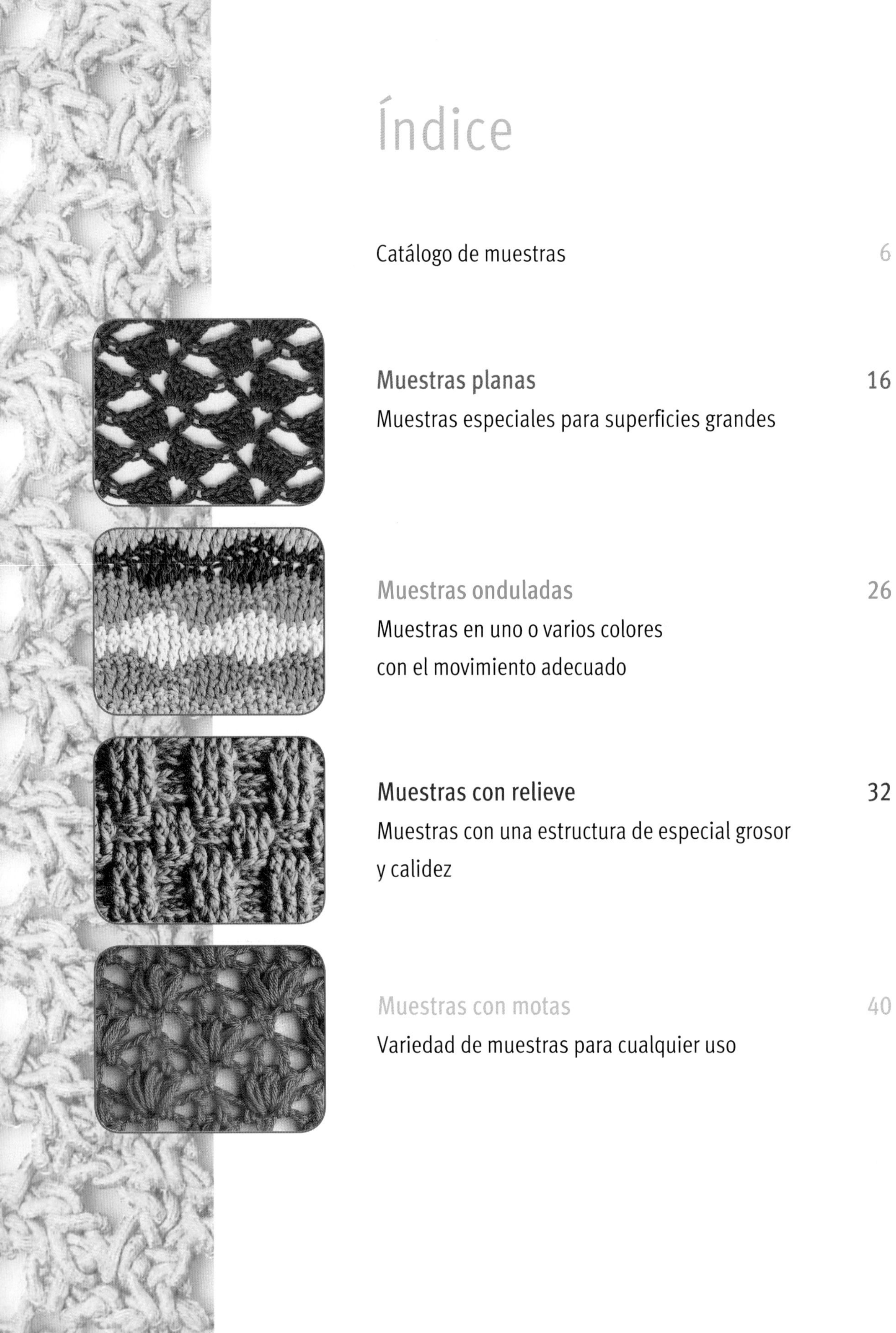

# Índice

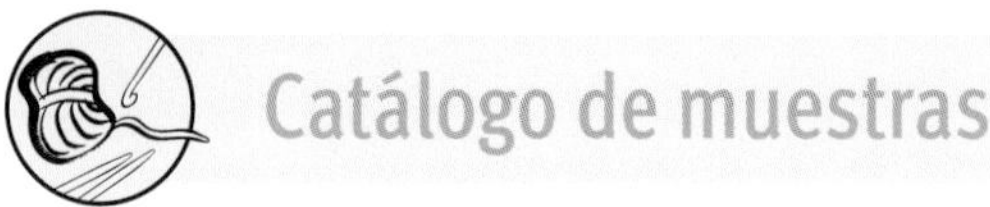


## Muestras planas

Página 16

Página 16

Página 17

Página 17

Página 17

Página 18

Página 18

Página 18

Página 19

Página 19

Página 19

Página 20

Página 20

Página 20

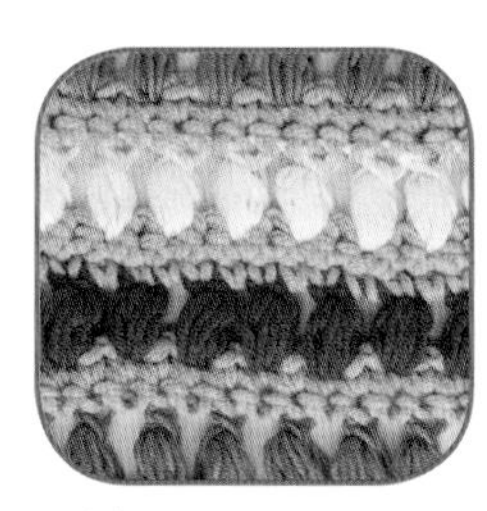
Página 21

Página 21

Página 21

Página 22

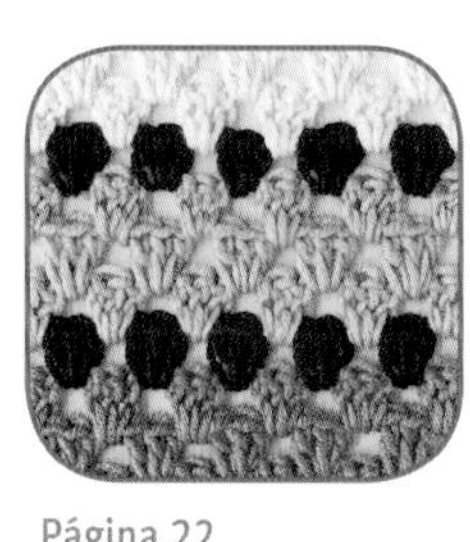
Página 22

Página 22

Página 23

Página 23

Página 23

Página 24

Página 24

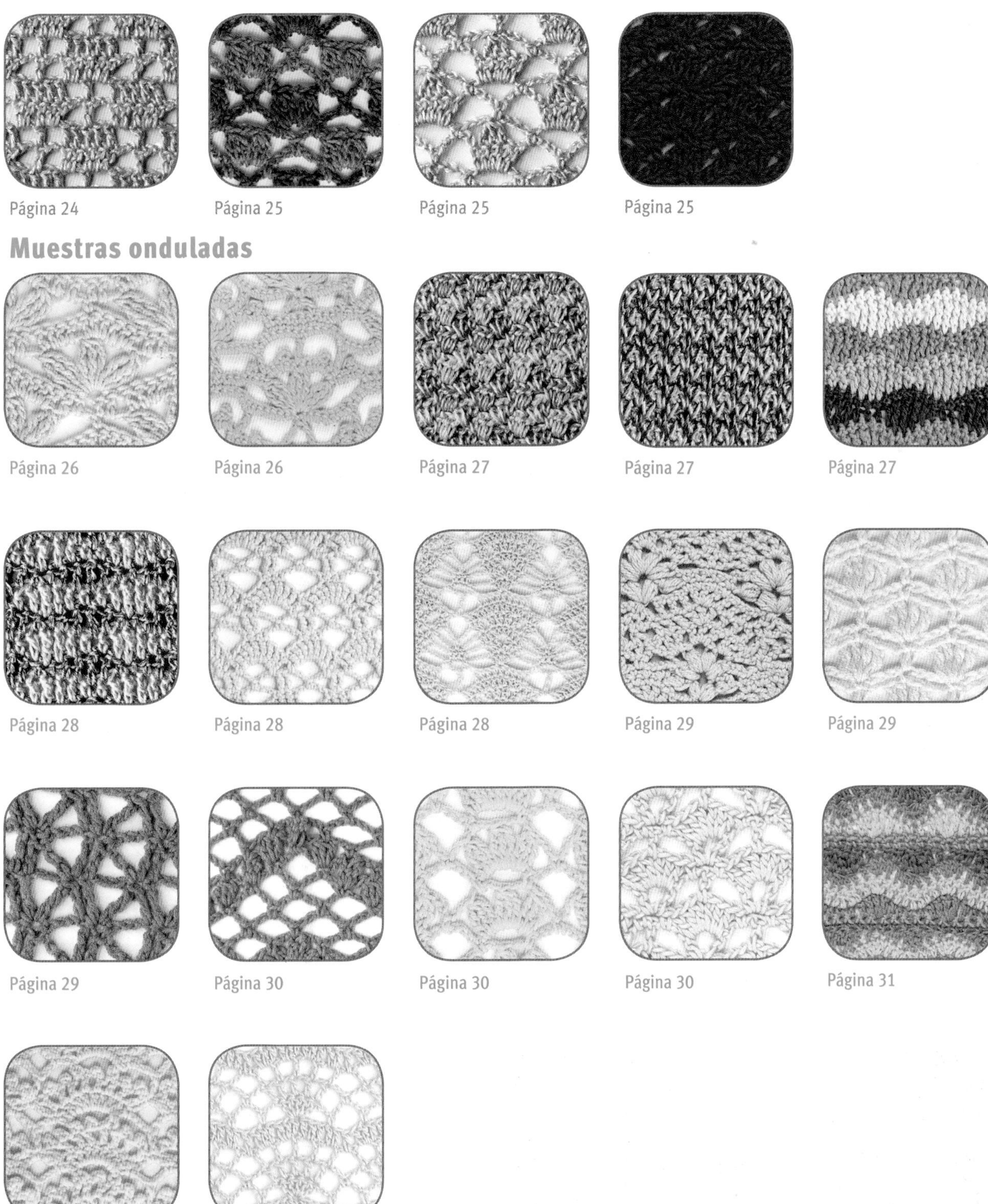

Página 24 Página 25 Página 25 Página 25

## Muestras onduladas

Página 26 Página 26 Página 27 Página 27 Página 27

Página 28 Página 28 Página 28 Página 29 Página 29

Página 29 Página 30 Página 30 Página 30 Página 31

Página 31 Página 31

## Muestras con relieve

Página 32

Página 32

Página 33

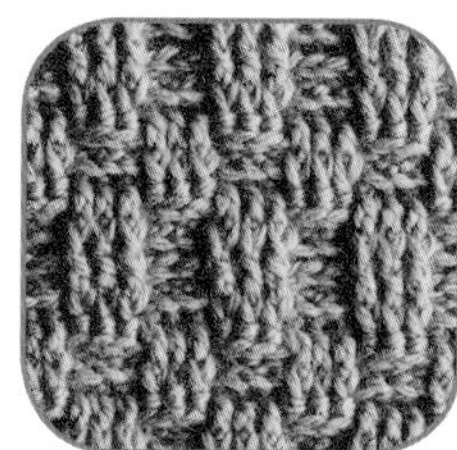
Página 33

Página 33

Página 34

Página 34

Página 34

Página 35

Página 35

Página 35

Página 36

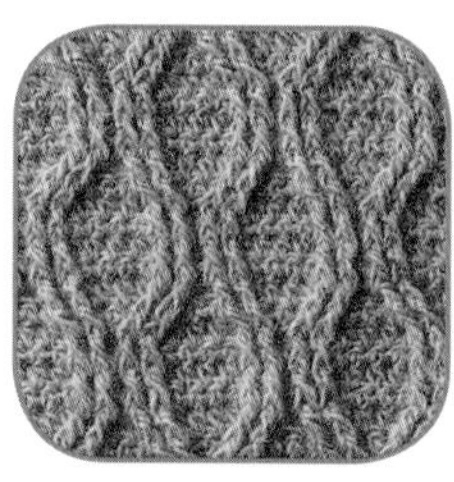
Página 36

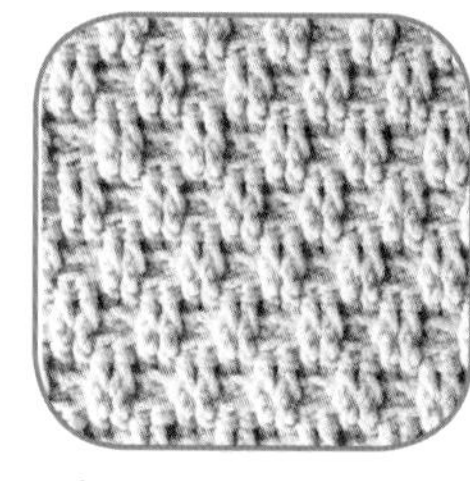
Página 36

Página 37

Página 37

Página 37

Página 38

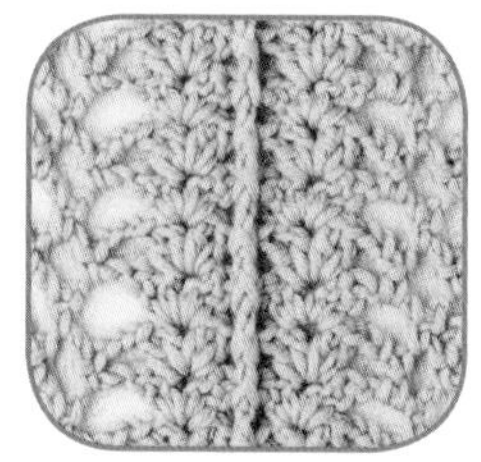
Página 38

Página 38

Página 39

Página 39

Página 39

## Muestras con motas

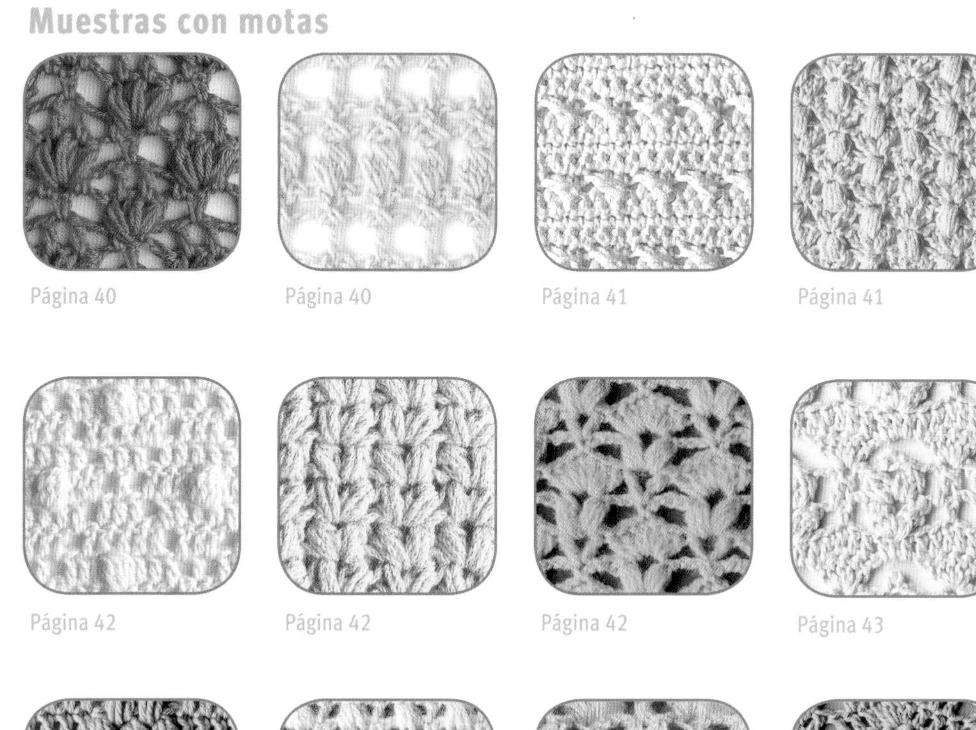

Página 40 Página 40 Página 41 Página 41  Página 41

Página 42 Página 42 Página 42 Página 43  Página 43

Página 43 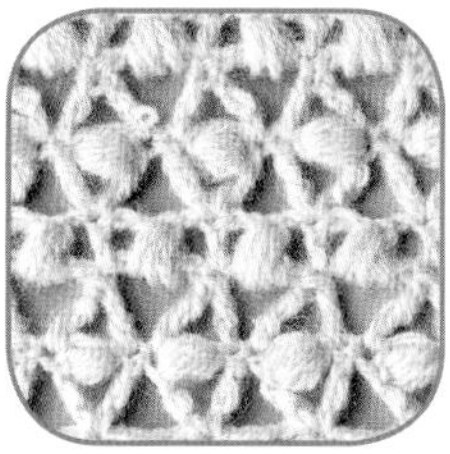 Página 44  Página 44 Página 44 Página 45

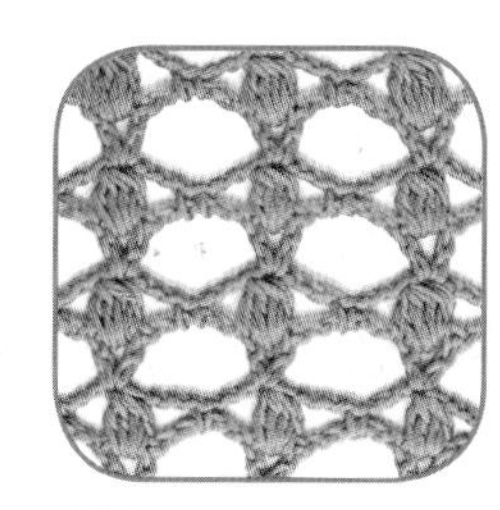

Página 45 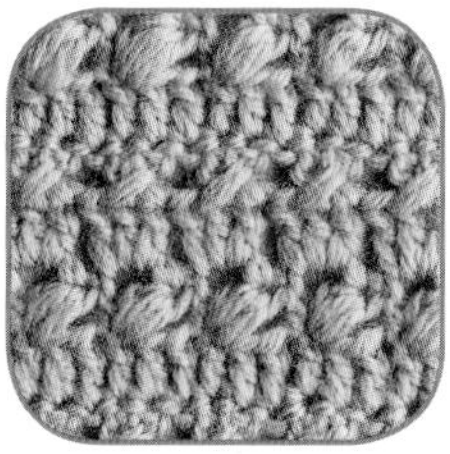 Página 45  Página 46  Página 46 Página 46

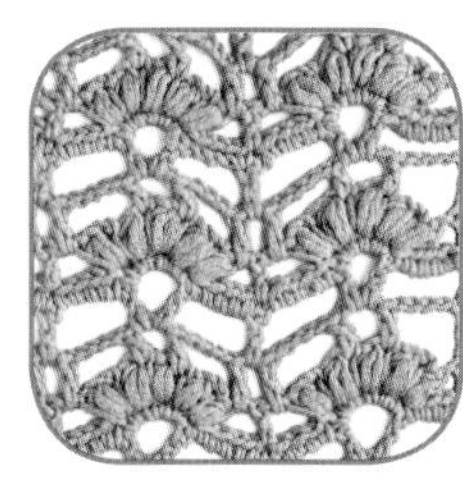

Página 47 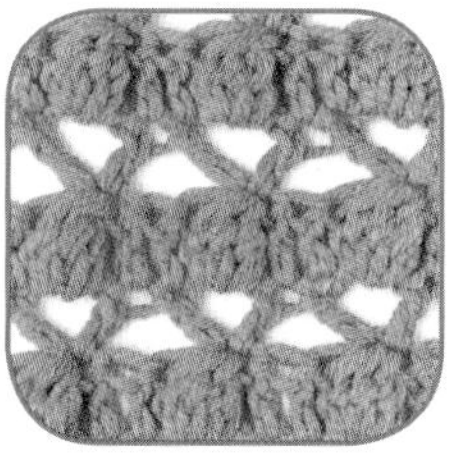 Página 47 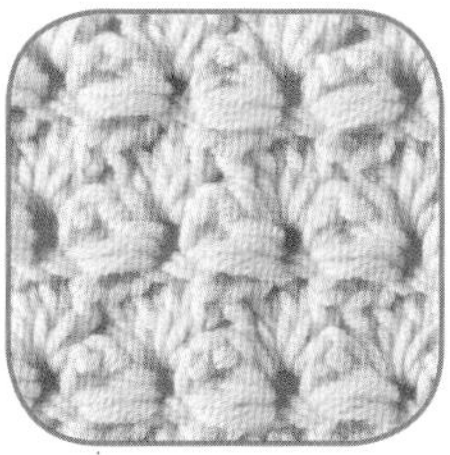 Página 47

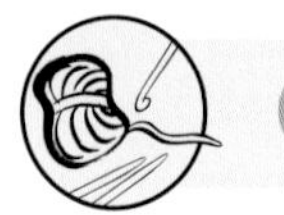



## Muestras con conchas

Página 48

Página 48

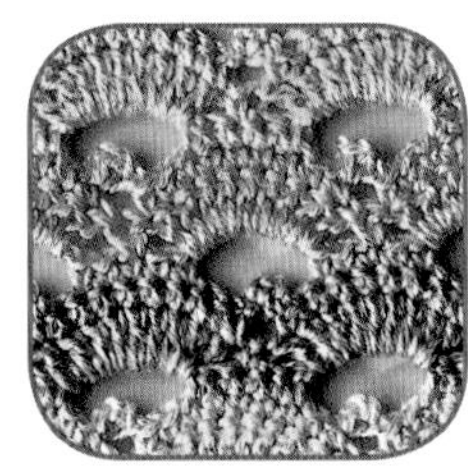

Página 49

Página 49

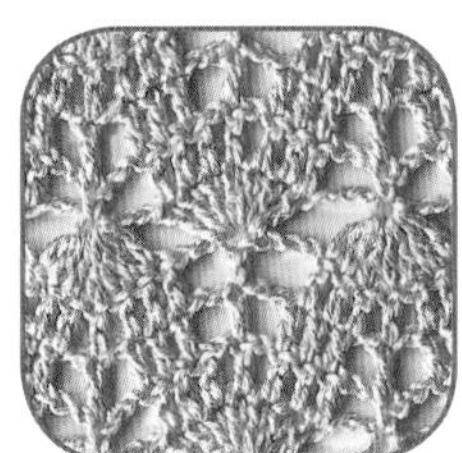

Página 49

Página 50

Página 50

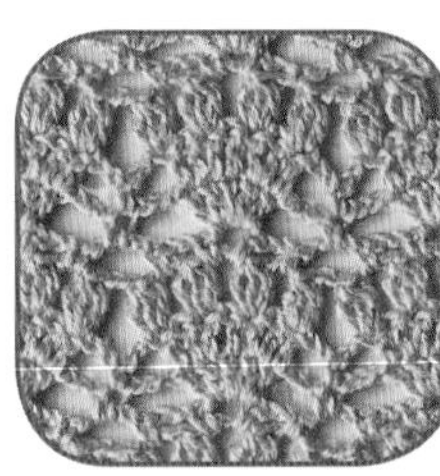

Página 50

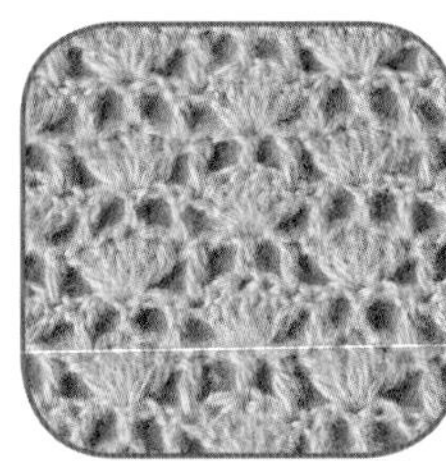

Página 51

Página 51

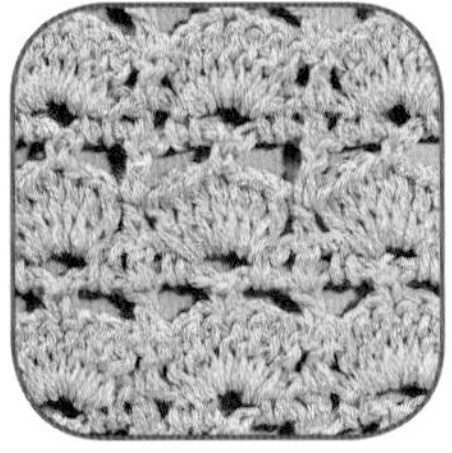

Página 51

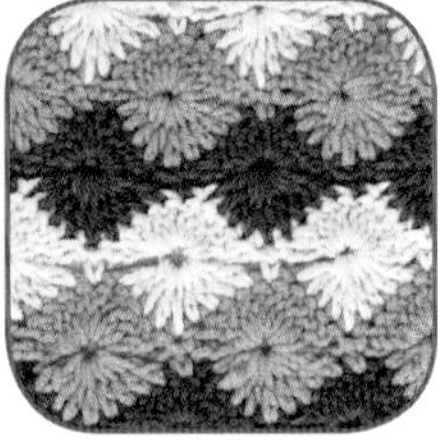

Página 52

Página 52

Página 52

Página 53

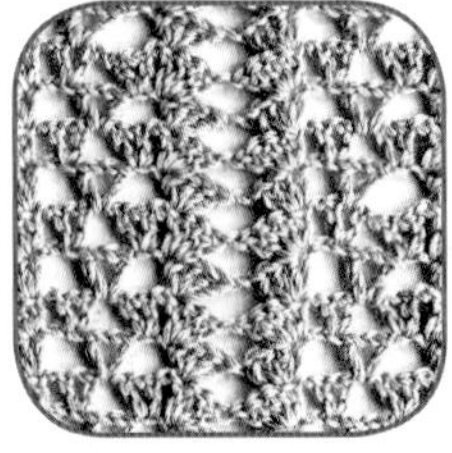

Página 53

Página 53

Página 54

Página 54

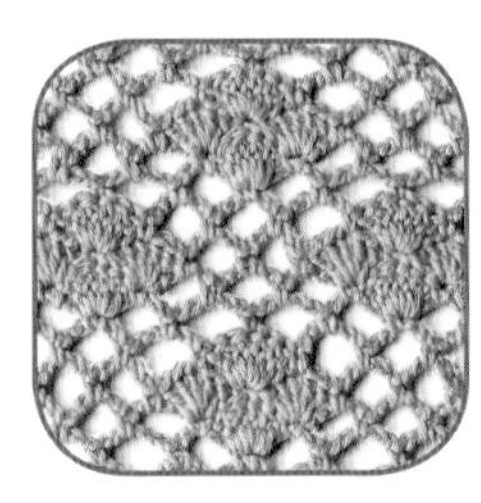

Página 54

Página 55

Página 55

Página 55

Página 56

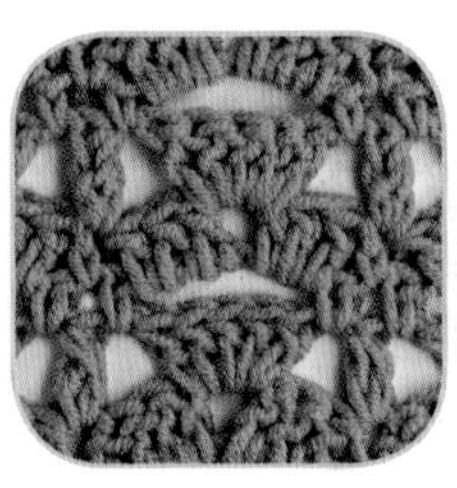

Página 56

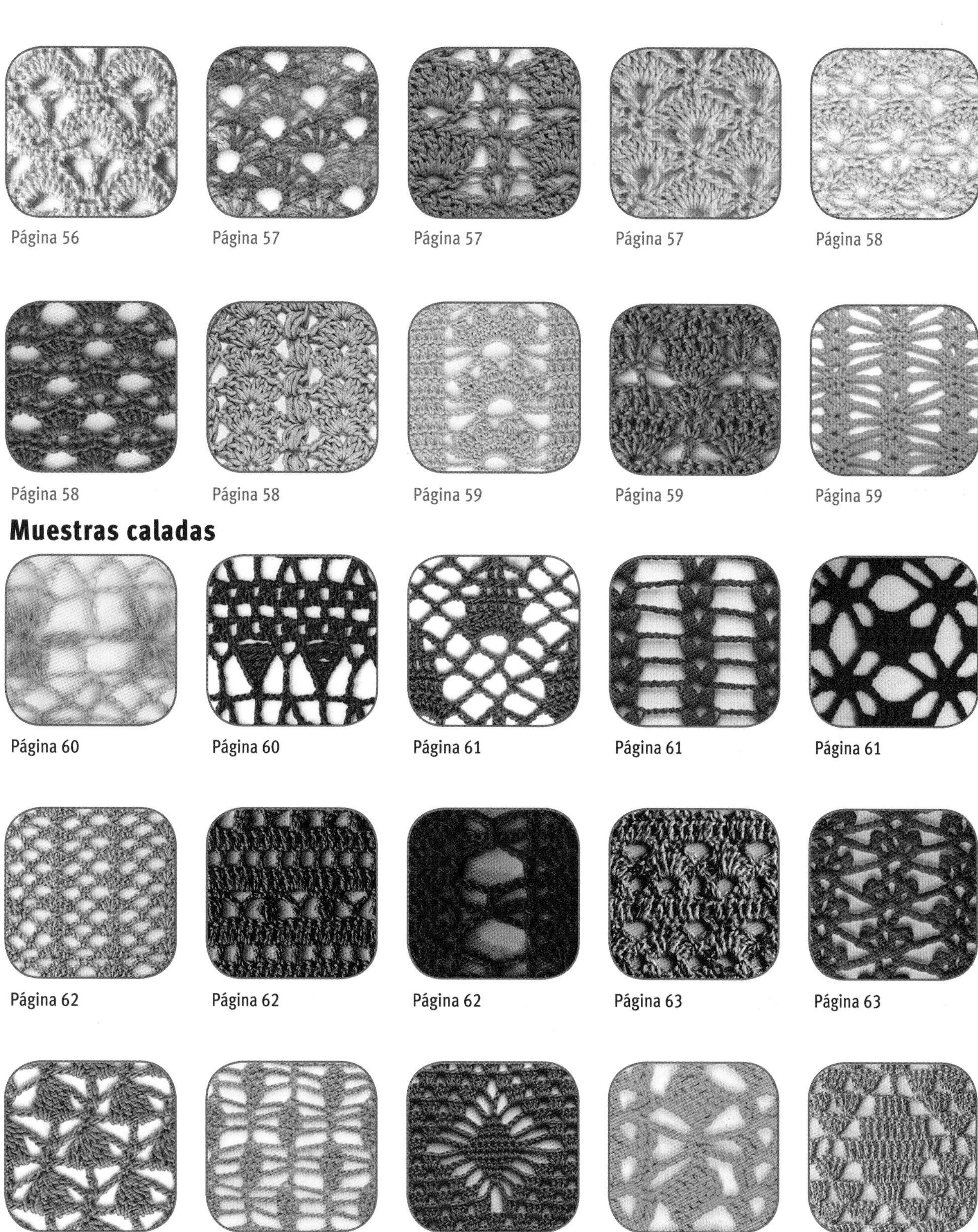
Página 56 Página 57 Página 57 Página 57 Página 58

Página 58 Página 58 Página 59 Página 59 Página 59

## Muestras caladas

Página 60 Página 60 Página 61 Página 61 Página 61

Página 62 Página 62 Página 62 Página 63 Página 63

Página 63 Página 64 Página 64 Página 64 Página 65

Página 65

Página 65

Página 66

Página 66

Página 66

Página 67

Página 67

Página 67

Página 68

Página 68

Página 68

Página 69

Página 69

Página 69

Página 70

Página 70

Página 70

Página 71

Página 71

Página 71

Página 72

Página 72

Página 72

Página 73

Página 73

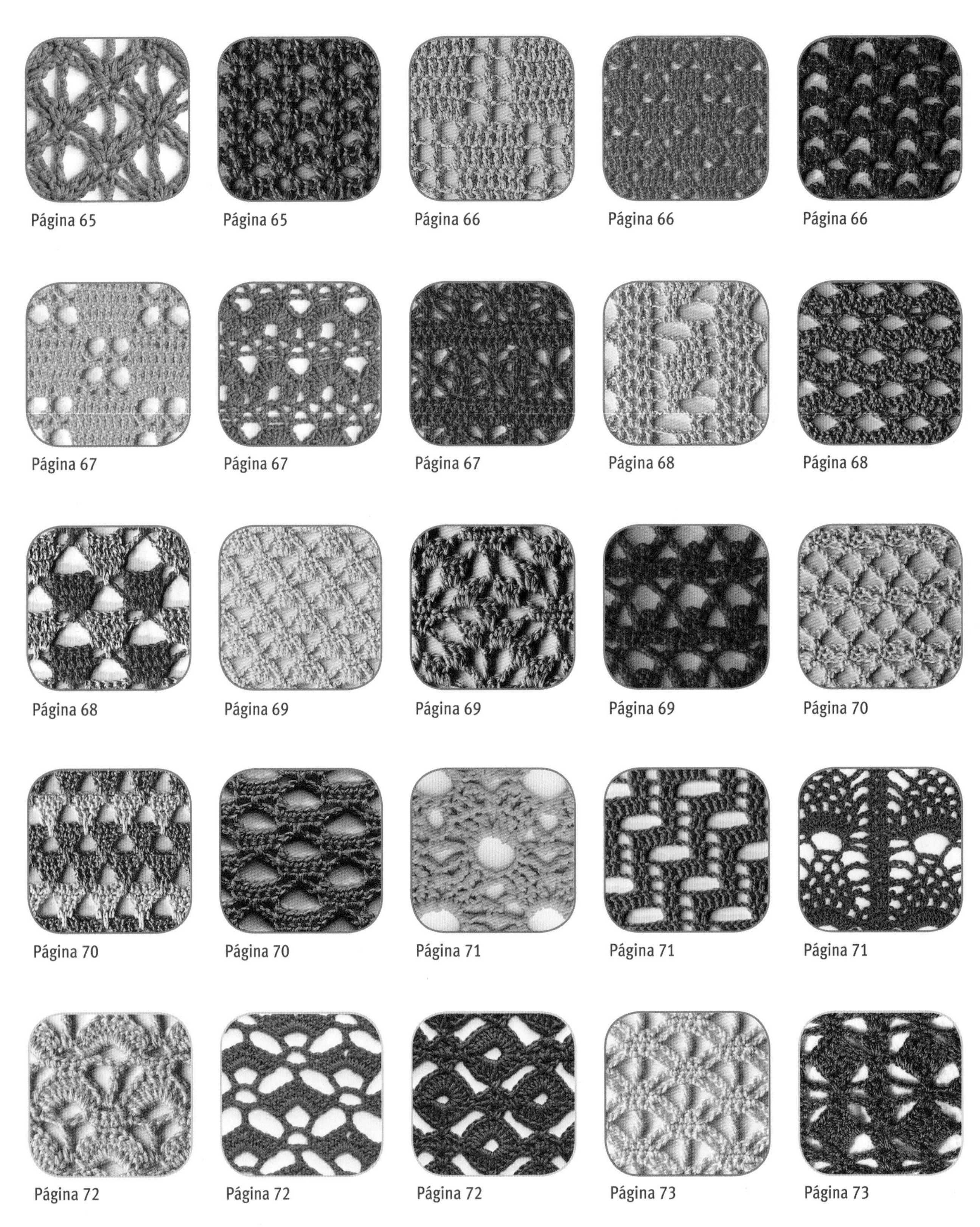

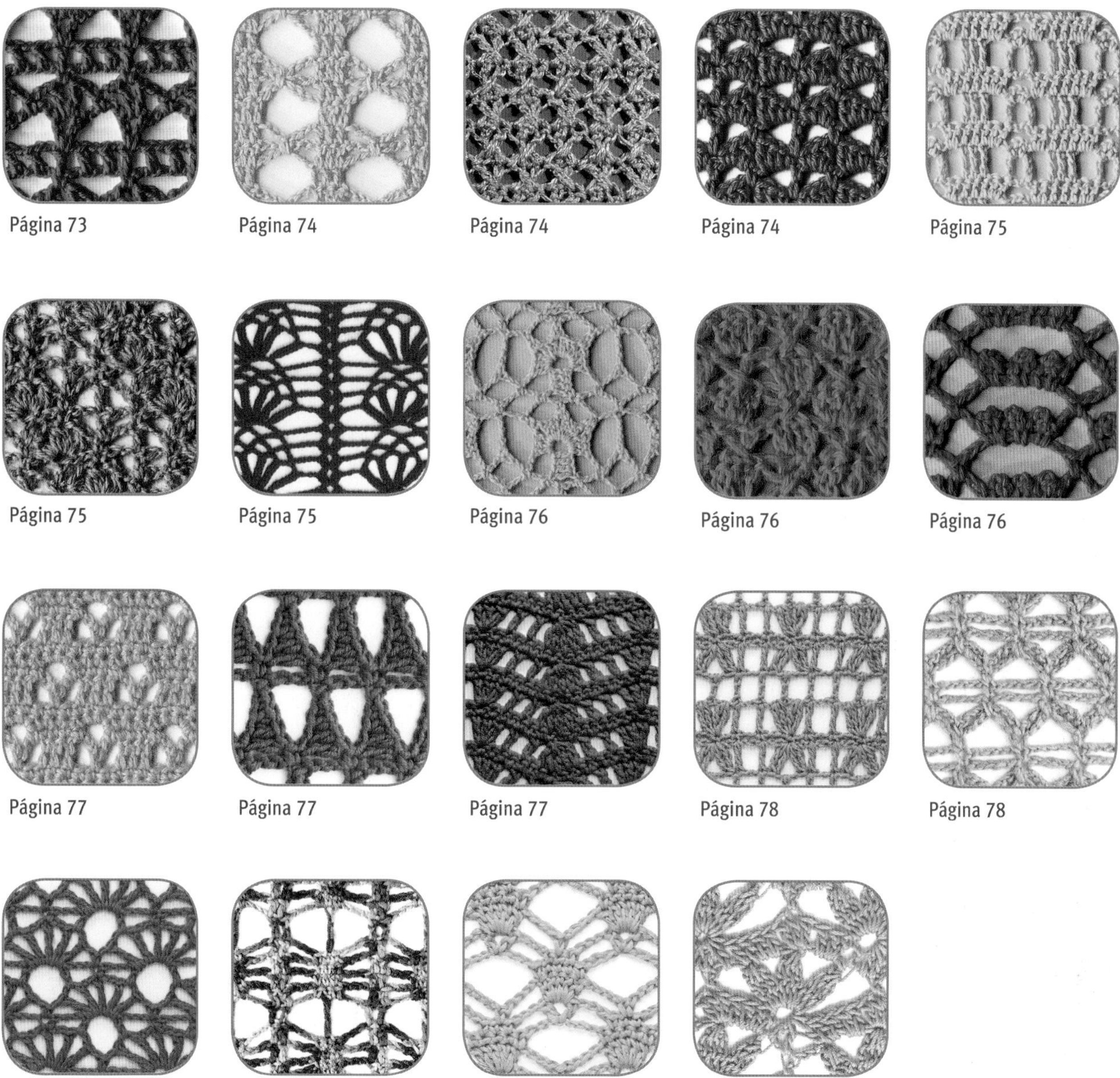

Página 73 Página 74 Página 74 Página 74 Página 75

Página 75 Página 75 Página 76 Página 76 Página 76

Página 77 Página 77 Página 77 Página 78 Página 78

Página 78 Página 79 Página 79 Página 79

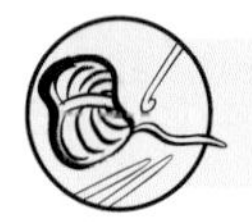



## Patchwork a ganchillo

Página 80

Página 80

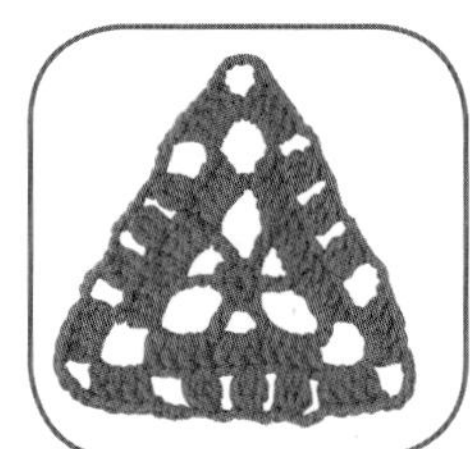

Página 81

Página 81

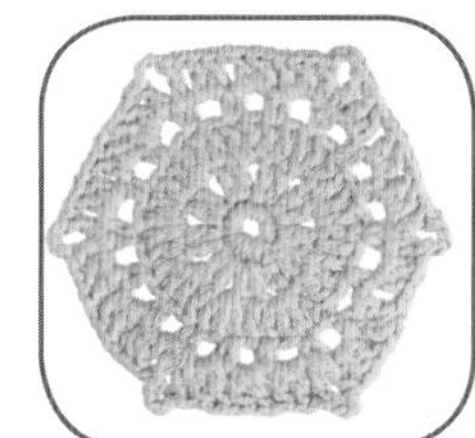

Página 81

Página 82

Página 82

Página 83

Página 83

Página 84

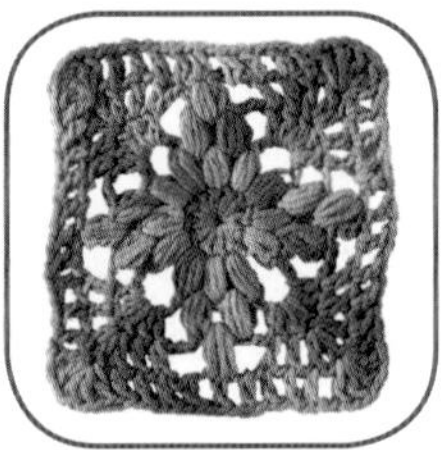

Página 84

Página 85

Página 85

Página 85

Página 86

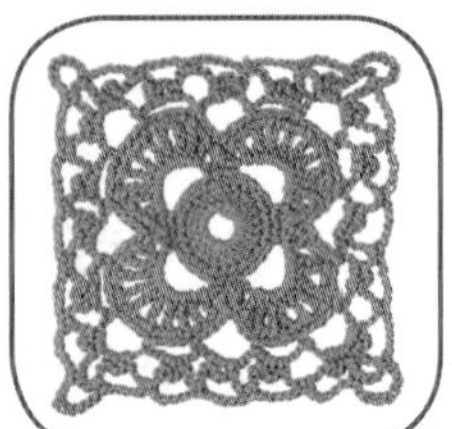

Página 86

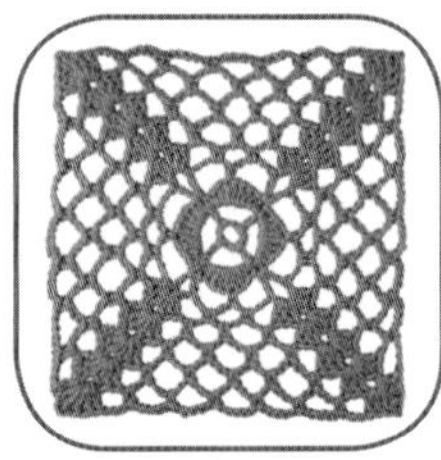

Página 87

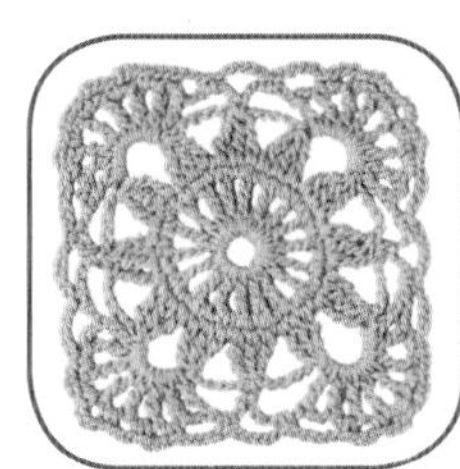

Página 87

## Encajes a ganchillo

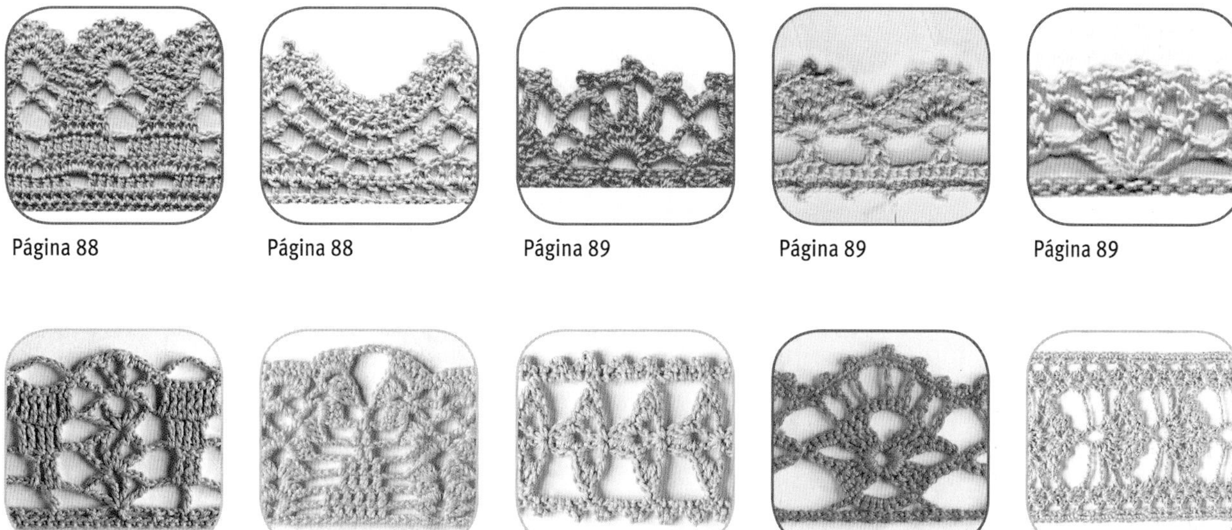

Página 88 Página 88 Página 89 Página 89 Página 89

Página 90 Página 90 Página 90 Página 91 Página 91

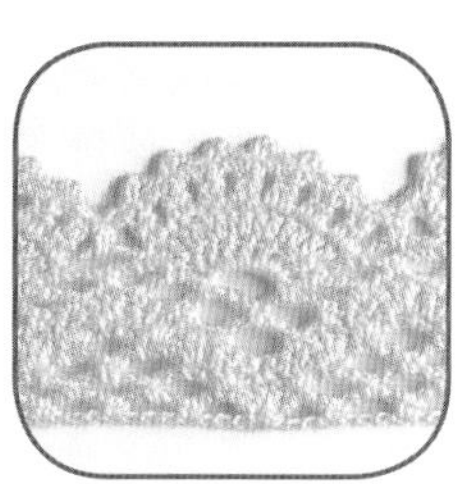

Página 91

## Muestra reticulada

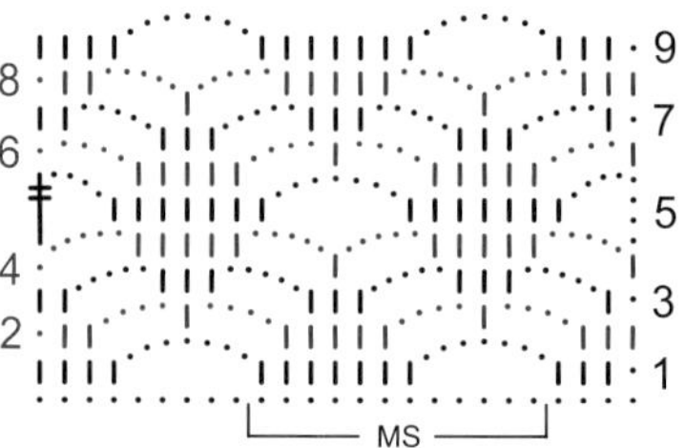


- • = 1 punto al aire
- I = 1 punto bajo
- ǂ = 1 bastoncillo doble

**Nota:** la abreviatura MS significa muestra.

Número de puntos al aire muestra divisible por 12 + 1 + 1 puntos al aire de giro. Comenzar antes con los puntos del grupo muestra. Repetir siempre ese grupo, terminar con los puntos posteriores al grupo muestra. Repetir siempre filas 2-9.

## Tiras con trébol

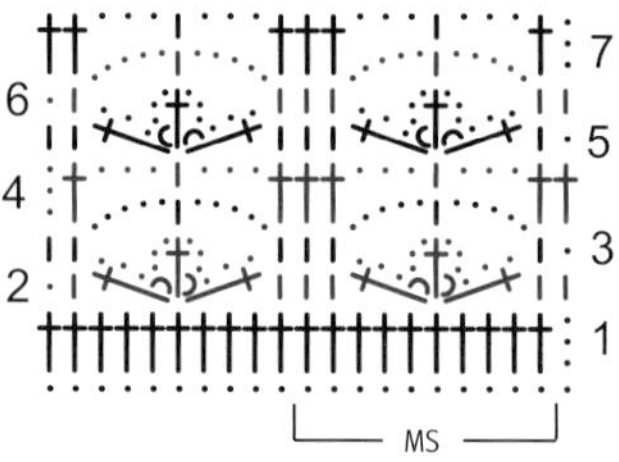


- • = 1 punto al aire
- ∩ = 1 punto cadeneta
- I = 1 punto bajo
- † = 1 bastoncillo

Número de puntos al aire muestra divisible por 10 + 1 + 3 puntos al aire de giro. Repetir siempre filas 2-7.

## Muestra de madreselva

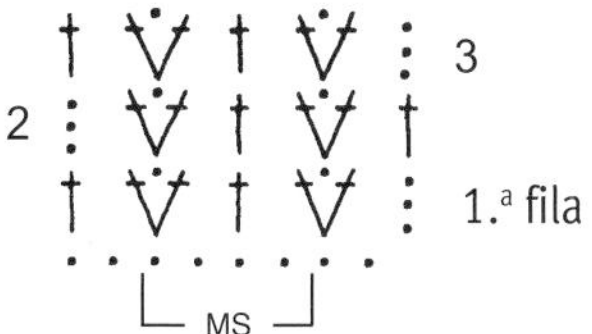

• = 1 punto al aire
† = 1 bastoncillo
= 1 bastoncillo, 1 punto al aire y 1 bastoncillo pinchados juntos

El número de puntos al aire muestra divisible por 4 + 3 puntos al aire de giro. Repetir siempre filas 2 y 3.

## Olas marinas

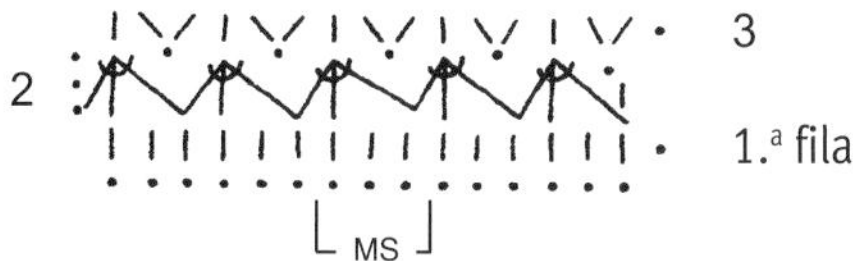

• = 1 punto al aire
I = 1 punto bajo
= sacar 1 lazada por la última lazada del grupo anterior, sacar 1 lazada a través del siguiente punto, pasar 1 punto por encima y sacar 1 lazada, luego cerrar juntas todas las lazadas
\/ = 2 puntos bajos en un punto al aire

Número de puntos al aire muestra divisible por 3 + 1 punto al aire de giro. Repetir siempre filas 2 y 3.

## Espino amarillo

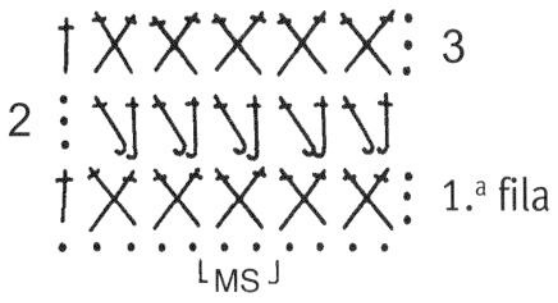

• = 1 punto al aire
† = 1 bastoncillo
= pasar 1 punto por encima, tejer 1 bastoncillo, tejer 1 bastoncillo en el punto pasado sin tejer
= 1 bastoncillo en relieve, para ello pinchar desde delante

Número de puntos al aire muestra divisible por 2 + 1 + 3 puntos al aire de giro. Repetir siempre filas 2 y 3.

## Gotas de lluvia

4 3
2
1.ª fila
MS

- • = 1 punto al aire
- I = 1 punto bajo
- = tejer 2 bastoncillos entre los dos bastoncillos de la penúltima fila
- = tejer 2 bastoncillos juntos

Número de puntos al aire muestra divisible por 2 + 3 puntos al aire de giro. Repetir siempre filas 3 y 4, trabajar con 3 colores y cambiar de color tras cada fila.

## Capullos de rosa

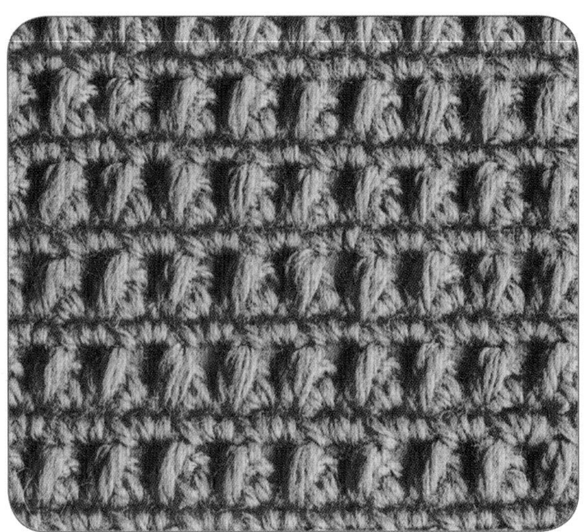

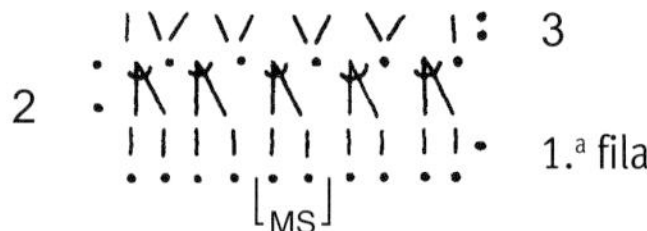


- • = 1 punto al aire
- I = 1 punto bajo
- \/ = 2 puntos bajos en un punto al aire
- = 1 hebra, pinchar en el siguiente punto, sacar el hilo, 1 hebra, pinchar en el siguiente punto, sacar el hilo y pasarlo solo a través de 1 lazada, sacar el hilo y pasarlo a través de todas las lazadas.

Número de puntos al aire muestra divisible por 2 + 1 punto al aire de giro. Repetir siempre filas 2 y 3.

## Estrellitas

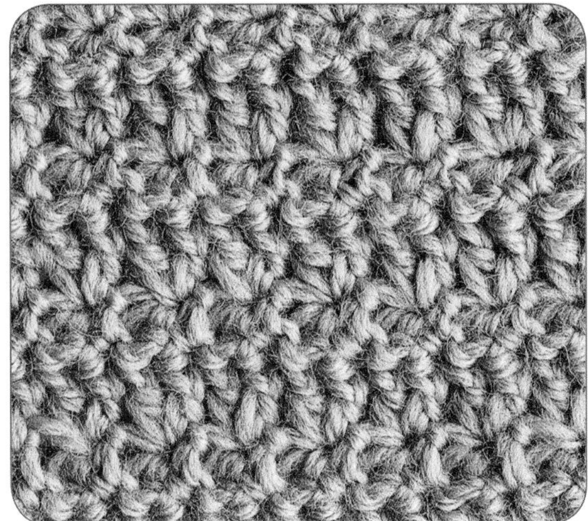

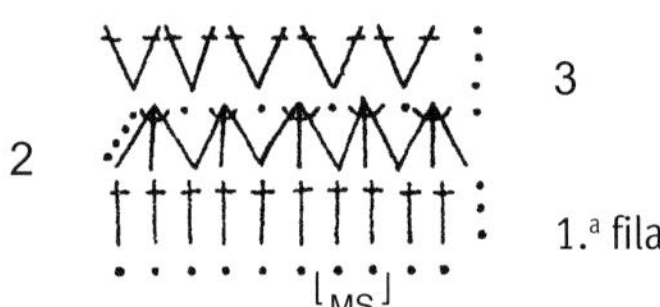


- • = 1 punto al aire
- † = 1 bastoncillo
- = 2 bastoncillos pinchados en el mismo lugar
- = sacar 1 lazada de la parte de atrás del último grupo tejido, sacar 1 lazada del siguiente punto y cerrar juntas las 4 lazadas de la aguja

Número de puntos al aire muestra divisible por 2 + 3 puntos al aire de giro. Repetir siempre filas 2 y 3.

## Almendro

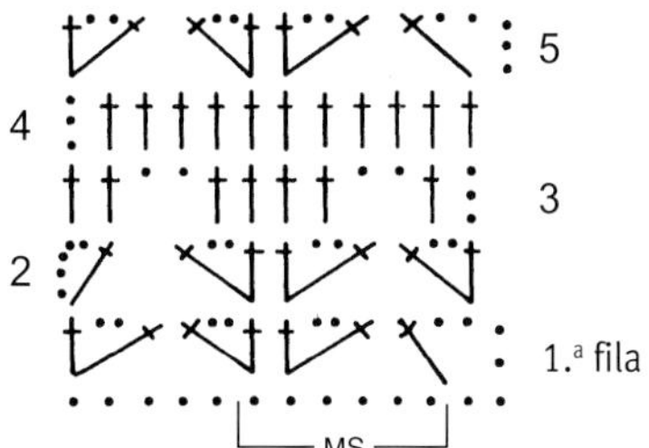


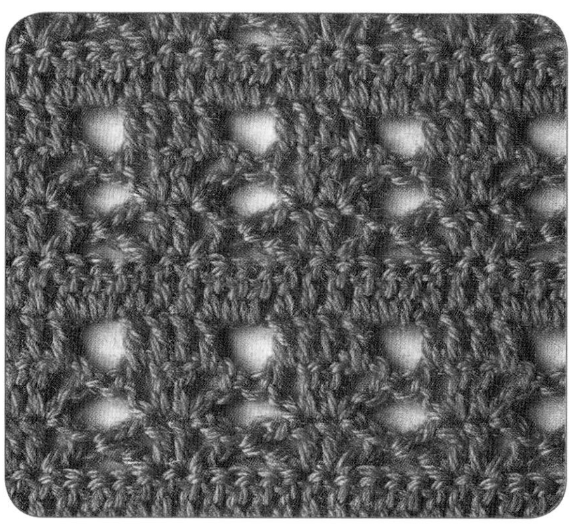

• = 1 punto al aire

† = 1 bastoncillo

= 1 bastoncillo, 2 puntos al aire y 1 bastoncillo pinchados juntos en el mismo lugar

Número de puntos al aire muestra divisible por 6 + 3 puntos al aire de giro.
Repetir siempre filas 2-5.

## Jardín de verano

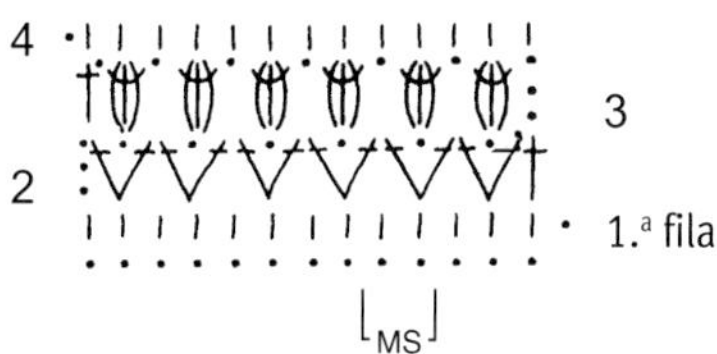

• = 1 punto al aire

| = 1 punto bajo

† = 1 bastoncillo

= pinchar 1 bastoncillo, 1 punto al aire y 1 bastoncillo en el mismo lugar

= 3 bastoncillos pasados en el mismo lugar

Número de puntos al aire muestra divisible por 2 + 1 + 1 puntos al aire de giro.
Repetir siempre filas 1-4.

## Líneas quebradas

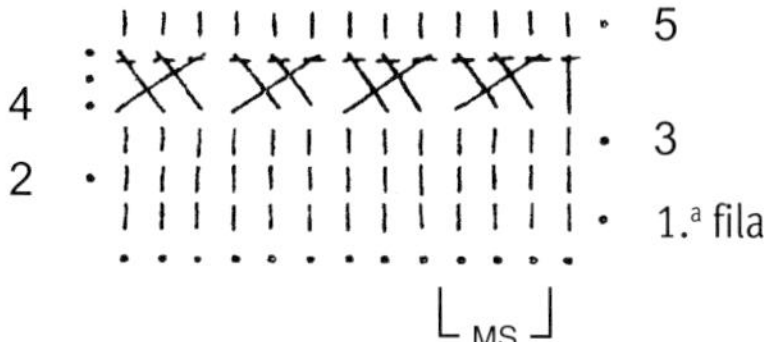

• = 1 punto al aire

| = 1 punto bajo

† = 1 bastoncillo

= dejar 1 punto sin tejer y tejer 1 bastoncillo en cada uno de los 2 puntos siguientes, tejer hacia atrás el 3.er bastoncillo en el punto que se dejó sin tejer

Número de puntos al aire muestra divisible por 3 + 1 + 1 punto al aire de giro.
Repetir siempre filas 2-5.

## Muestra Suleika

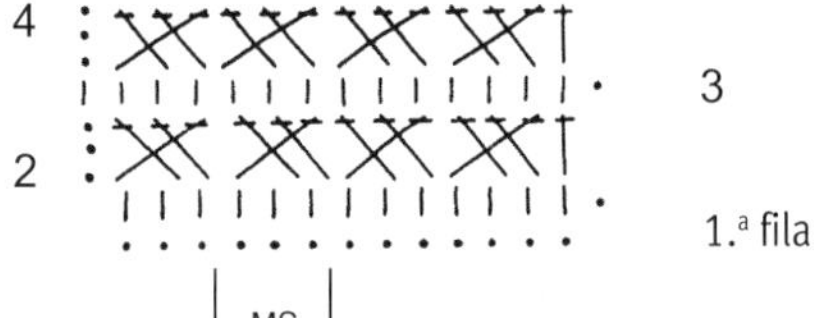


- = 1 punto al aire
- I = 1 punto bajo
- † = 1 bastoncillo
- = dejar 1 punto sin tejer y en cada uno de los 2 puntos siguientes tejer 1 bastoncillo, el 3.er bastoncillo se teje en el punto pasado por encima

Número de puntos al aire muestra divisible por 3 + 1 + 1 punto al aire de giro. Repetir siempre filas 3 y 4.

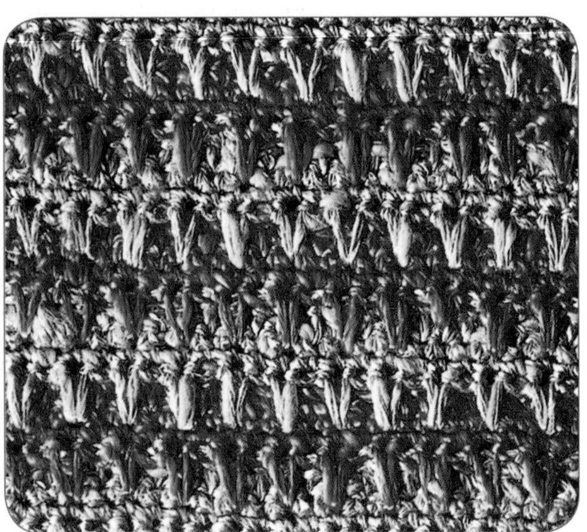

## Lazos de colores

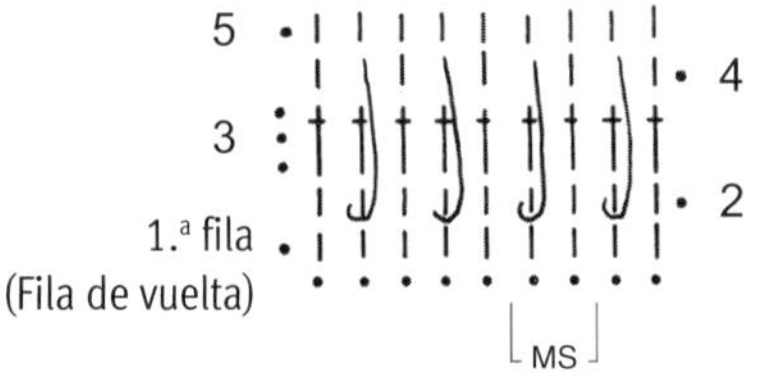


- • = 1 punto al aire
- I = 1 punto bajo
- † = 1 bastoncillo
- = 1 punto bajo alrededor del correspondiente punto bajo de la penúltima fila, dejar sin tejer el bastoncillo de la última fila

Número de puntos al aire muestra divisible por 2 + 1 + 1 punto al aire de giro. Repetir siempre filas 2-5 y cambiar cada vez de color en la 4.ª fila.

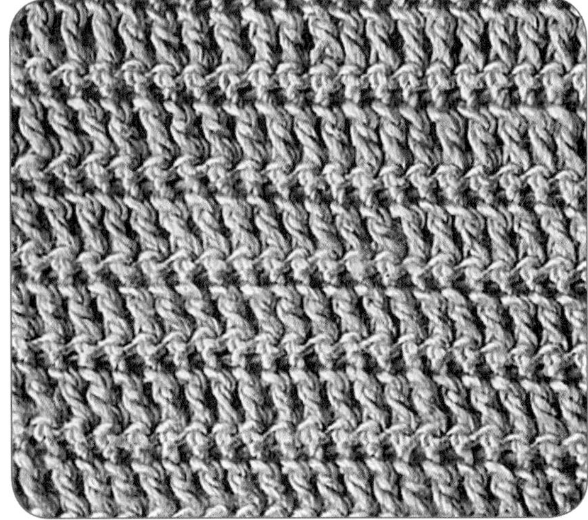

## Alternancia de cruces

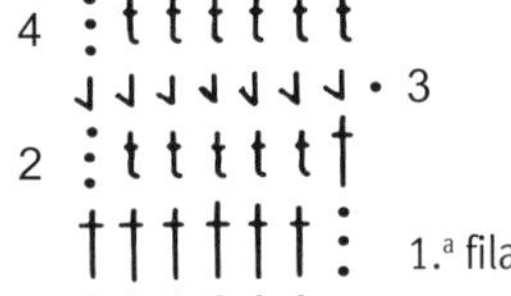


- • = 1 punto al aire
- = 1 punto bajo, pero coger siempre solo la parte delantera del punto
- † = 1 bastoncillo
- = 1 bastoncillo en relieve desde atrás

Número de puntos al aire muestra que se desee. Repetir siempre filas 3 y 4.

## Tiras de motas

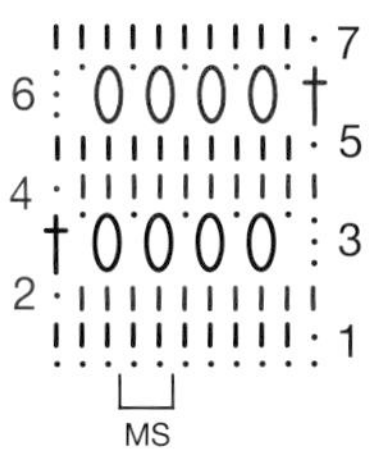

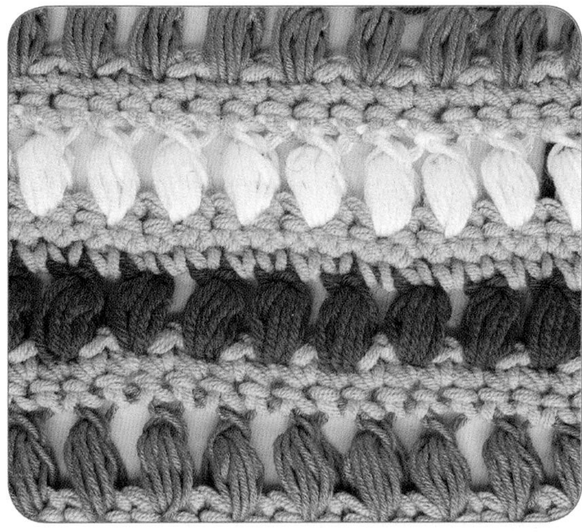

• = 1 punto al aire
I = 1 punto bajo
† = 1 bastoncillo
0 = 1 punto borla (1 hebra, sacar el hilo largo, 1 hebra, sacar el hilo, 1 hebra, sacar el hilo, 1 hebra, sacar el hilo, dejar todas las lazadas del mismo largo, sacar el hilo y pasarlo por todas las lazadas)

Número de puntos al aire muestra divisible por 2 + 1 + 1 punto al aire de giro. Repetir siempre filas 2-7. Tejer en diferente color cada fila de puntos borla.

## Alternancia de borlas

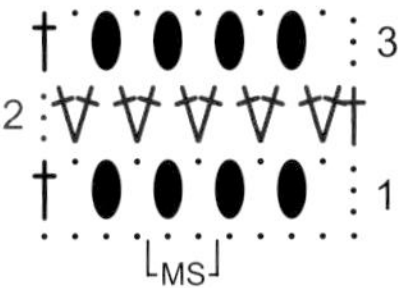

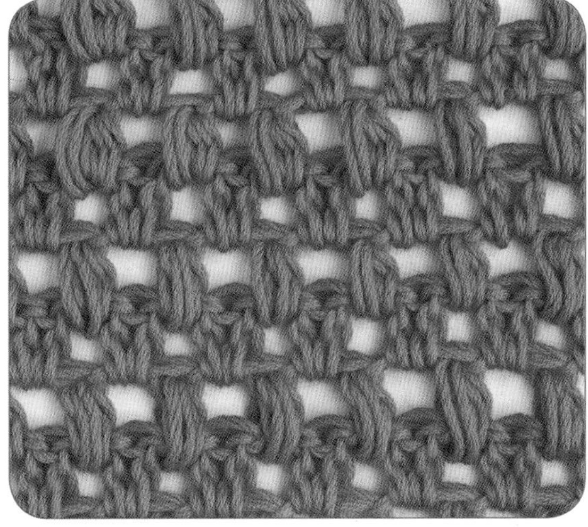

• = 1 punto al aire
† = 1 bastoncillo
∀ = 2 bastoncillos pinchados juntos en el mismo lugar
⬮ = 1 mota (* 1 hebra, sacar el hilo y a partir de * repetir × 3, tejer juntas todas las lazadas, 1 punto al aire)

Número de puntos al aire muestra divisible por 2 + 1 + 4 puntos al aire de giro. Repetir siempre filas 2 y 3.

## Triángulos

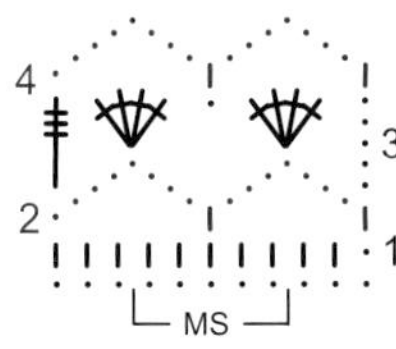

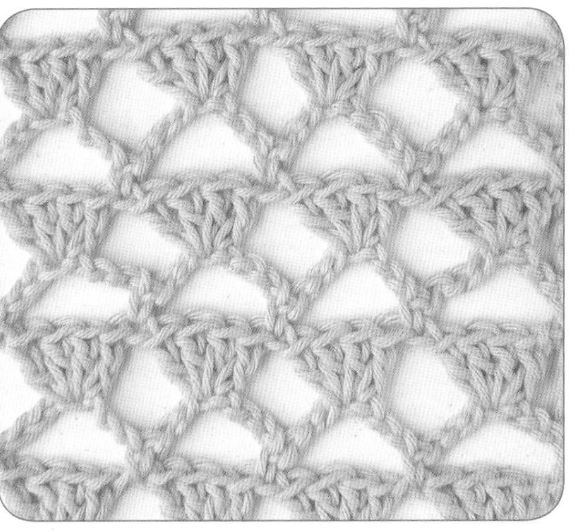

• = 1 punto al aire
I = 1 punto bajo
† = 1 bastoncillo
‡ = 1 bastoncillo triple

Si los signos están juntos dirigidos hacia abajo, trabajar los puntos pinchando en un mismo lugar.
Número de puntos al aire muestra divisible por 5 + 1 + 1 punto al aire de giro. Repetir siempre filas 3 y 4.

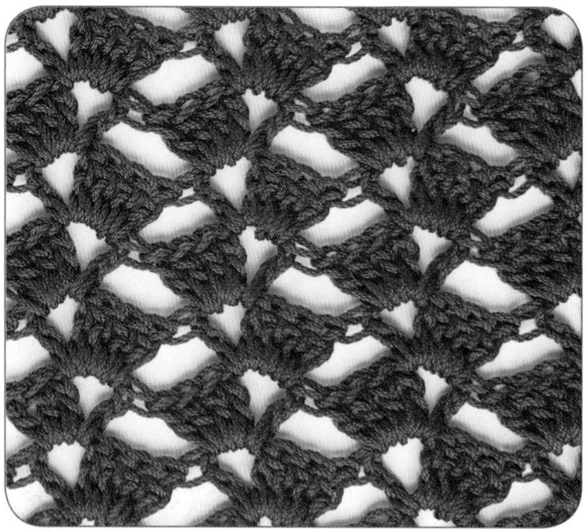

## Abanicos invertidos

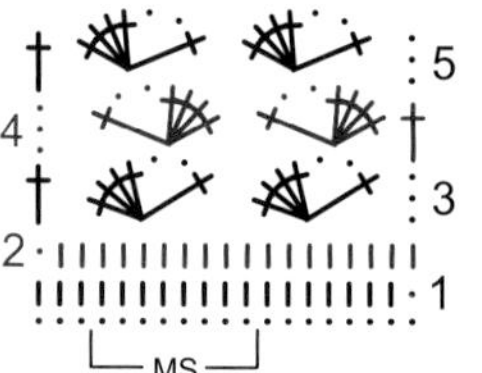


• = 1 punto al aire
ı = 1 punto bajo
† = 1 bastoncillo

Número de puntos al aire muestra divisible por 8 + 3 + 1 punto al aire de giro. Si hay varios signos juntos orientados hacia abajo, trabajar los puntos juntos pinchando en el mismo lugar. Repetir siempre filas 4 y 5.

## Cuadraditos

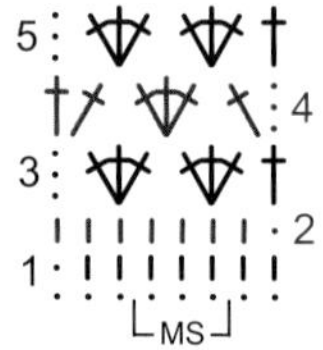


• = 1 punto al aire
ı = 1 punto bajo
† = 1 bastoncillo

Número de puntos al aire muestra divisible por 3 + 2 + 1 punto al aire de giro. Si hay varios signos juntos orientados hacia abajo, trabajar los puntos pinchando en el mismo lugar. Repetir siempre filas 4 y 5. Cada 3 filas tejer 1 fila en negro.

## Muestra con rombos

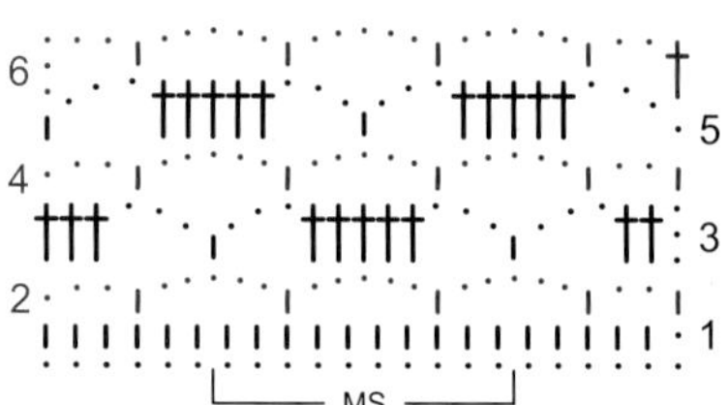


• = 1 punto al aire
ı = 1 punto bajo
† = 1 bastoncillo

Número de puntos al aire muestra divisible por 10 + 2 + 1 punto al aire de giro. Repetir siempre filas 3-6.

## Pequeños abanicos

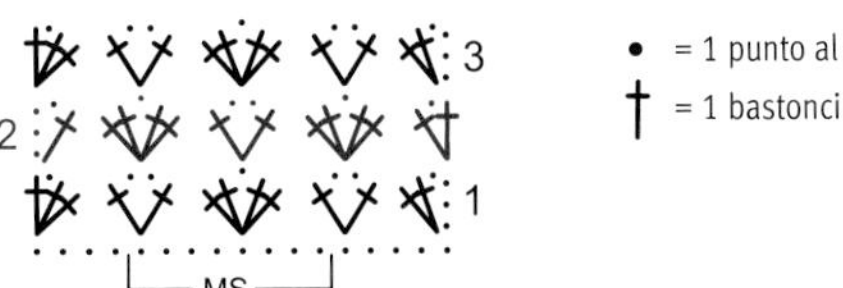


• = 1 punto al aire
† = 1 bastoncillo

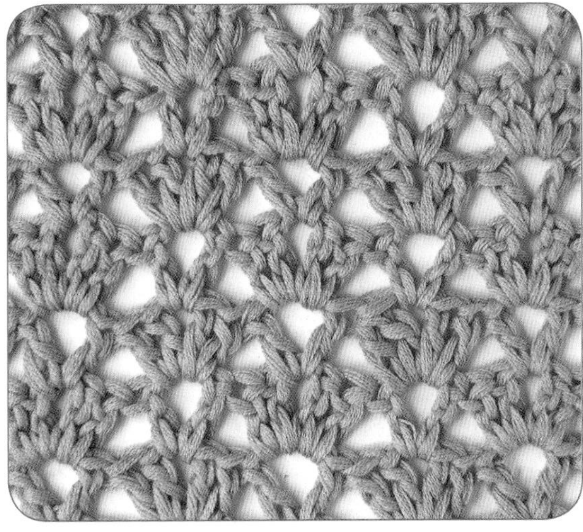

Número de puntos al aire muestra divisible por 8 + 1 + 4 puntos al aire de giro. Si hay varios signos juntos dirigidos hacia abajo, los puntos se trabajan pinchando en el mismo lugar. Repetir siempre filas 2 y 3.

## Alternancia de rayas

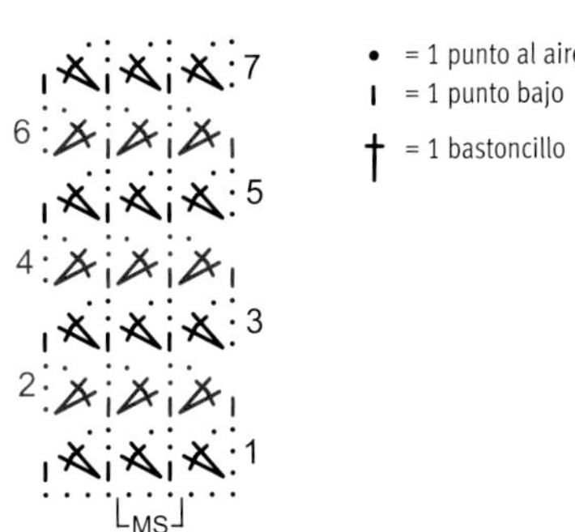


• = 1 punto al aire
I = 1 punto bajo
† = 1 bastoncillo

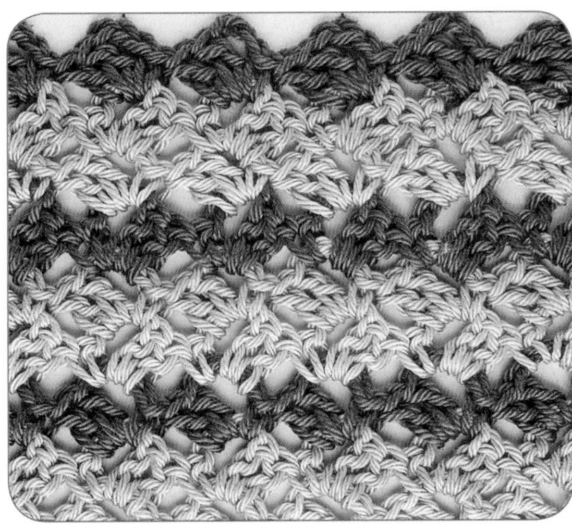

Número de puntos al aire muestra divisible por 3 + 1 + 4 puntos al aire de giro. Si hay varios signos juntos dirigidos hacia abajo, los puntos se trabajan pinchando en el mismo lugar. Repetir siempre filas 6 y 7 y cambiar de color después de cada fila.

## Muestra en zigzag

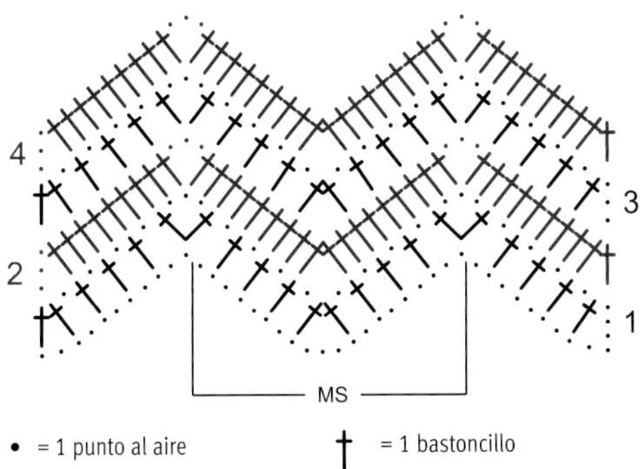


• = 1 punto al aire
† = 1 bastoncillo

Número de puntos al aire muestra divisible por 20 + 1 + 3 puntos al aire de giro. Si hay varios signos juntos dirigidos hacia arriba, tejer los puntos juntos; si los signos están hacia abajo, los puntos se trabajan pinchando en el mismo lugar. Repetir siempre filas 3 y 4.

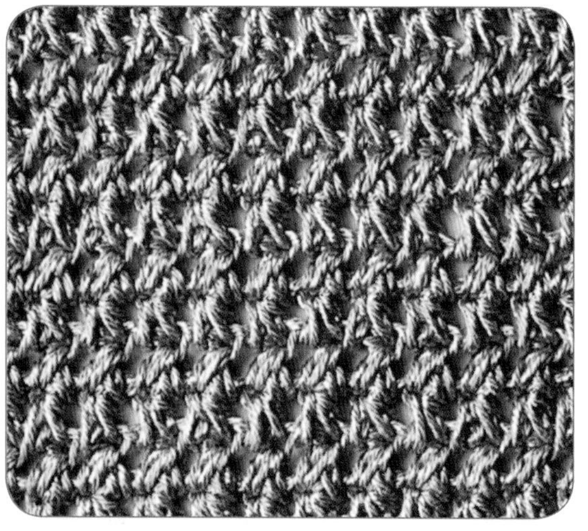

## Muestra con espinas

• = 1 punto al aire

= 2 medios bastoncillos tejidos juntos

Número de puntos al aire muestra muestra divisible por 2 + 2 puntos al aire de giro. Repetir siempre filas 1 y 2.

## Arcos fileteados

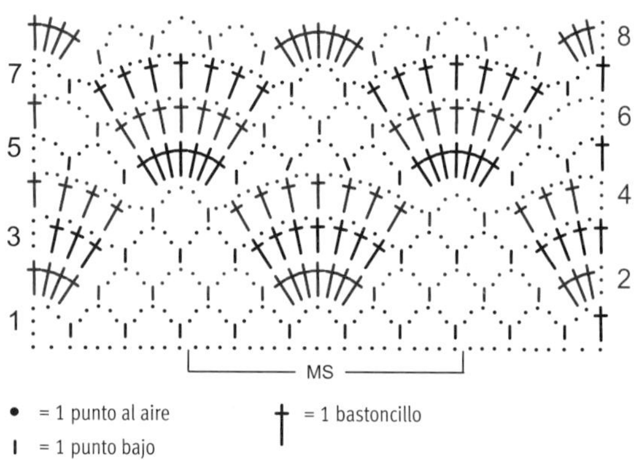

• = 1 punto al aire

I = 1 punto bajo

= 1 bastoncillo

Número de puntos al aire muestra divisible por 20 + 1 + 5 puntos al aire de giro. Repetir siempre filas 3-8.

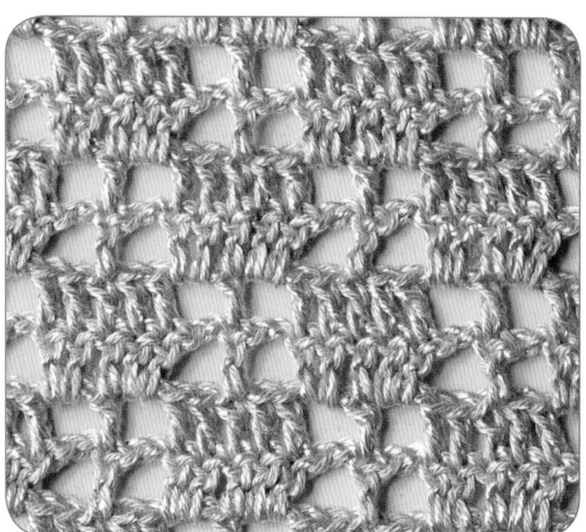

## Ventanitas

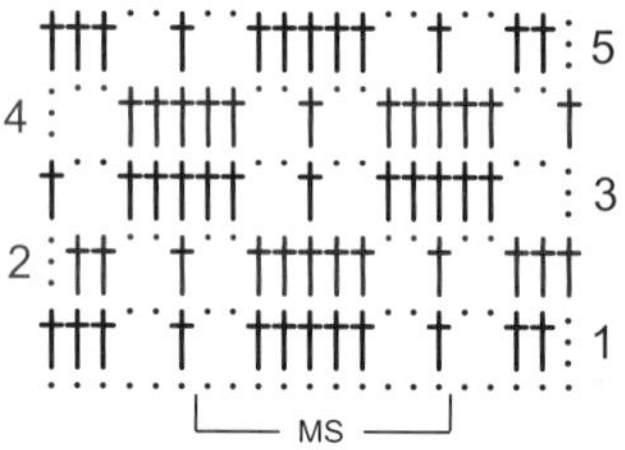

• = 1 punto al aire

= 1 bastoncillo

Número de puntos al aire muestra divisible por 10 + 1 + 3 puntos al aire de giro. Repetir siempre filas 2-5.

## Rombos de colores

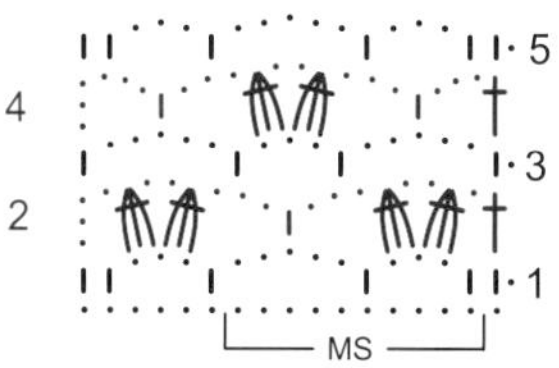

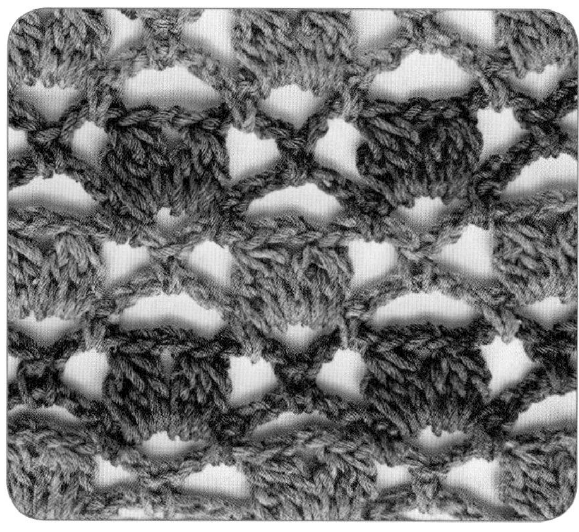

- • = 1 punto al aire
- I = 1 punto bajo
- † = 1 bastoncillo

Número de puntos al aire muestra divisible por 10 + 7 + 1 puntos al aire de giro. Si varios signos están orientados juntos hacia arriba, los puntos se tejen juntos. Repetir siempre filas 2-5 y cambiar de color cada 2 filas.

## Coronitas

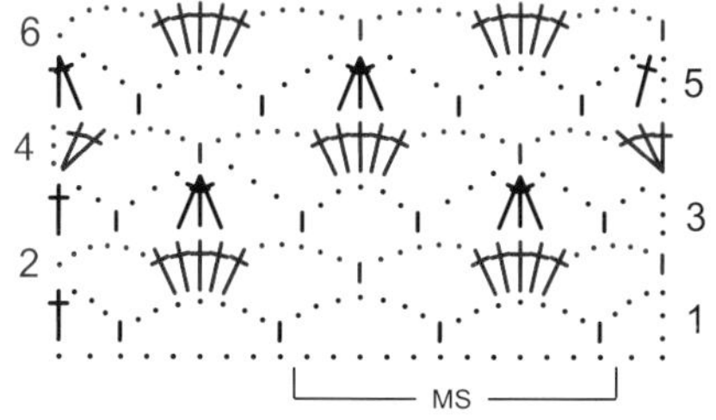

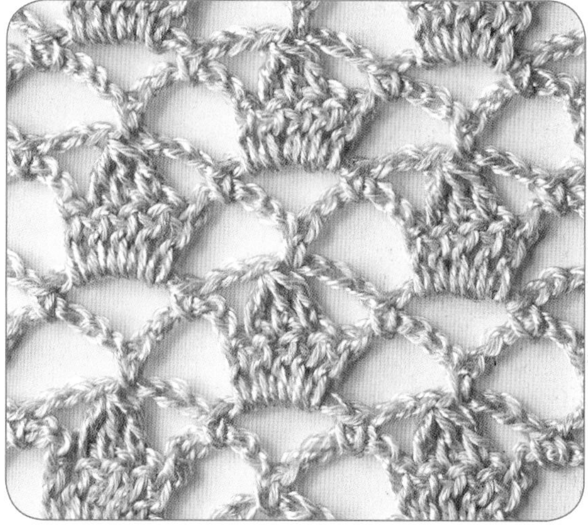

- • = 1 punto al aire
- † = 1 bastoncillo
- I = 1 punto bajo
- = 3 bastoncillos tejidos juntos

Número de puntos al aire muestra divisible por 12 + 11 + 6 puntos al aire de giro. Si varios signos están orientados juntos hacia abajo, los puntos se tejen en el mismo lugar. Repetir siempre filas 3-6.

## Líneas quebradas

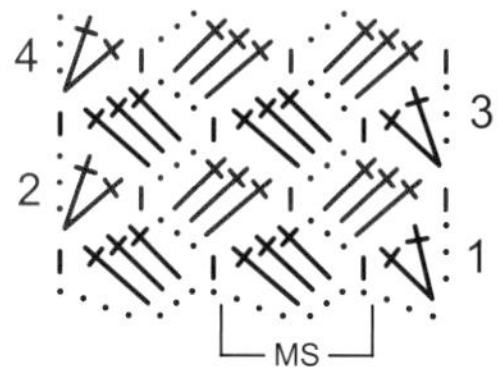

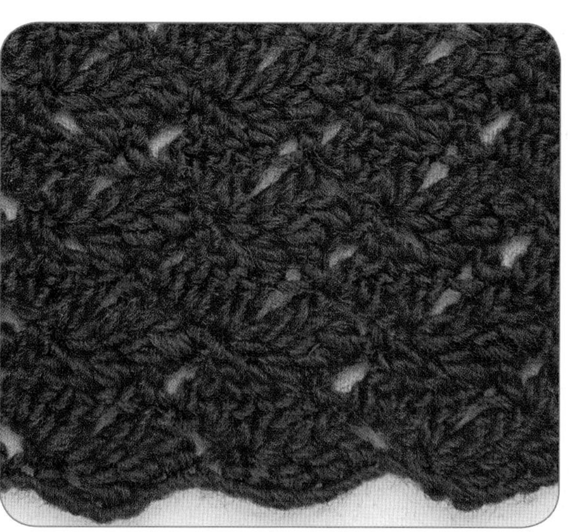

- • = 1 punto al aire
- I = 1 punto bajo
- † = 1 bastoncillo
- = 2 bastoncillos pinchados juntos.

Número de puntos al aire muestra divisible por 7 + 4 + 3 puntos al aire de giro. Repetir siempre filas 3 y 4.

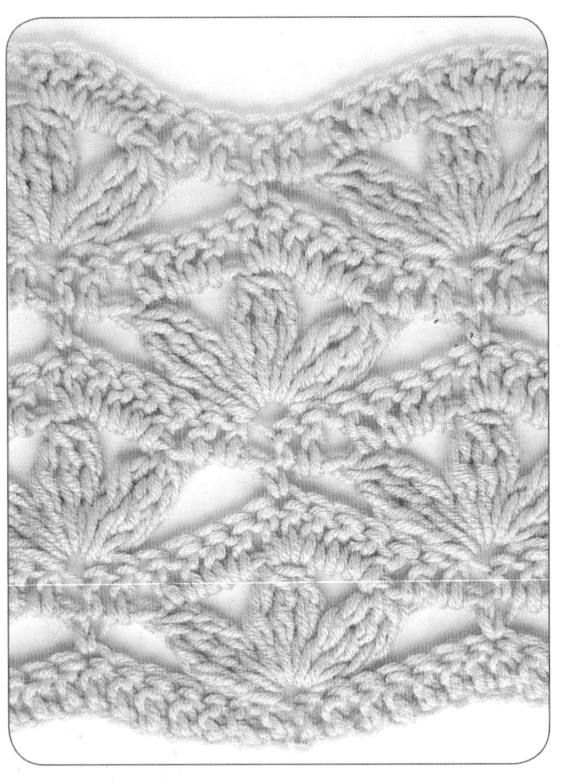

## Ondas con hojas

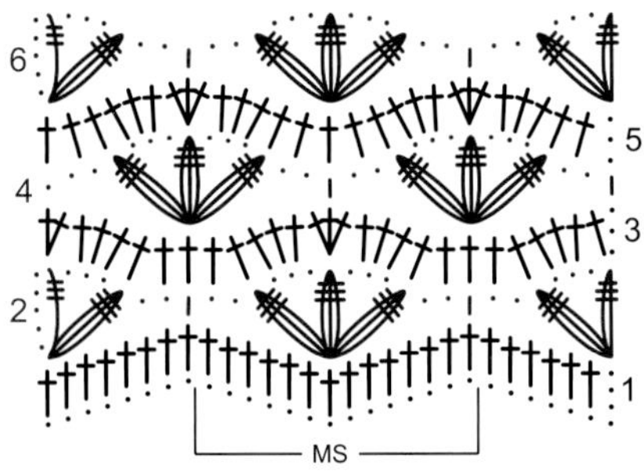


- • = 1 punto al aire
- I = 1 punto bajo
- † = 1 bastoncillo
- ǂ = 1 bastoncillo triple

Número de puntos al aire muestra divisible por 14 + 1 + 3 puntos al aire de giro. Si los signos están dirigidos juntos hacia abajo, los puntos se trabajan en el mismo lugar. Si están dirigidos hacia arriba, cerrarlos juntos. Comenzar con los puntos anteriores al grupo de puntos de muestra. Repetir siempre este grupo de muestra y terminar con los puntos posteriores al grupo de muestra. Repetir siempre filas 3-6.

## Ondas de abanicos con piquillos

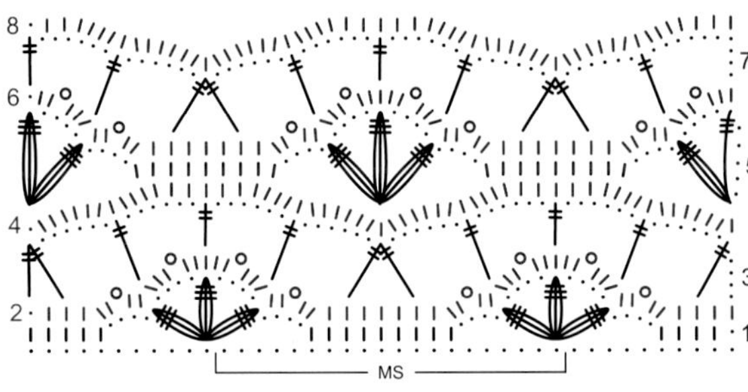


- • = 1 punto al aire
- I = 1 punto bajo
- ǂ = 1 bastoncillo doble
- ǂ = 1 bastoncillo triple
- o = piquillo (3 puntos al aire, 3 puntos bajos en el 1.er punto al aire)

Número de puntos al aire muestra divisible por 20 + 1 + 1 punto al aire de giro. Si los signos están dirigidos juntos hacia abajo, los puntos se tejen en el mismo lugar. Si están hacia arriba, cerrarlos juntos. Repetir siempre filas 1-8.

## Ondas grandes

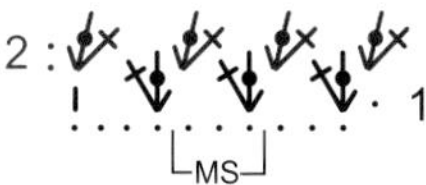


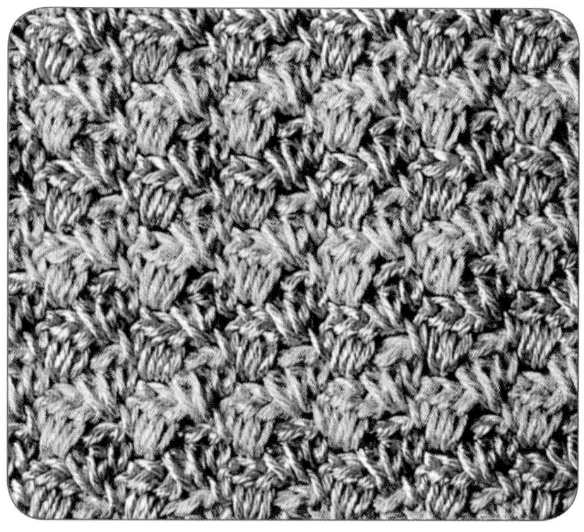

- • = 1 punto al aire
- I = 1 punto bajo
- = 1 medio bastoncillo
- = 1 bastoncillo

Número de puntos al aire muestra divisible por 3 + 1 + 1 punto al aire de giro. Repetir siempre la 2.ª fila y cambiar de color cada 2 filas.

## Muestra con cornejas

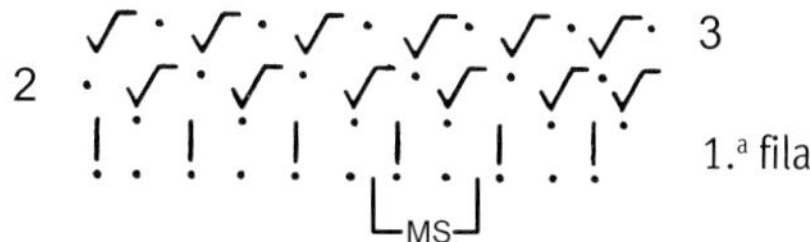


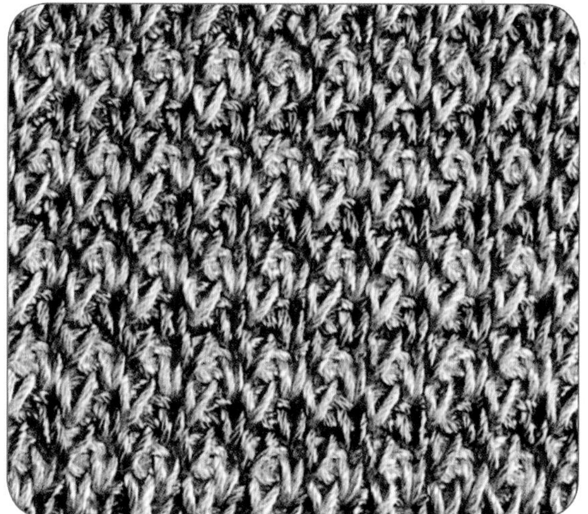

- • = 1 punto al aire
- I = 1 punto bajo
- = 1 punto bajo alrededor del punto al aire de la muestra o alrededor del punto al aire de la fila anterior

Número de puntos al aire muestra divisible por 2 + 1 + 1 punto al aire de giro. Repetir siempre filas 2 y 3.

## Ondas grandes

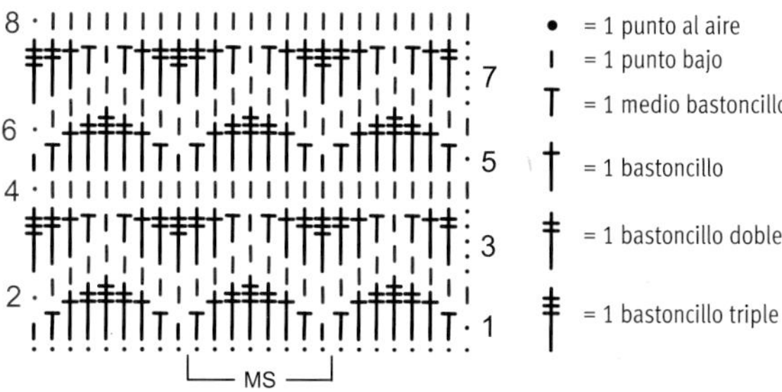


- • = 1 punto al aire
- I = 1 punto bajo
- T = 1 medio bastoncillo
- = 1 bastoncillo
- = 1 bastoncillo doble
- = 1 bastoncillo triple

Número de puntos al aire muestra divisible por 8 + 1 + 1 punto al aire de giro. Repetir siempre filas 5-8 y cada 2 vueltas cambiar de color.

# Muestras onduladas

## Olas de colores

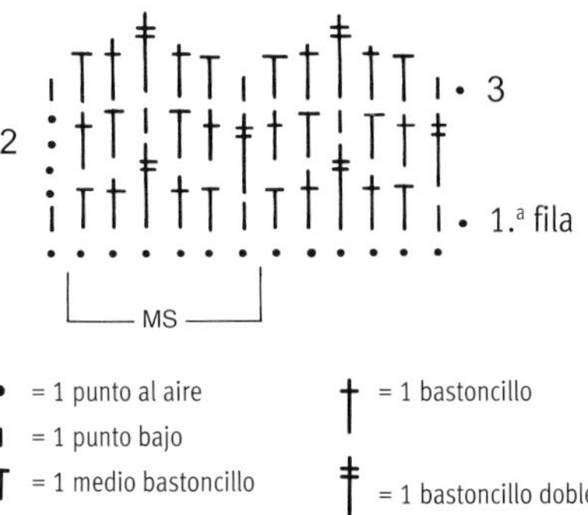


- • = 1 punto al aire
- I = 1 punto bajo
- T = 1 medio bastoncillo
- † = 1 bastoncillo
- ‡ = 1 bastoncillo doble

Número de puntos al aire muestra divisible por 6 + 1 + 1 punto al aire de giro. Repetir siempre filas 2 y 3 y cambiar de color en cada fila.

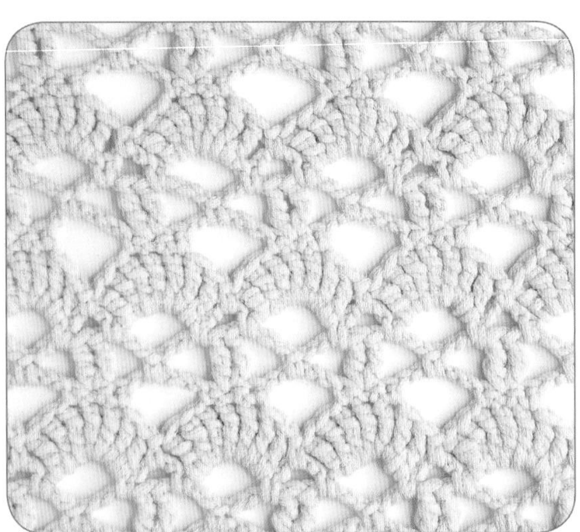

## Arcos redondos

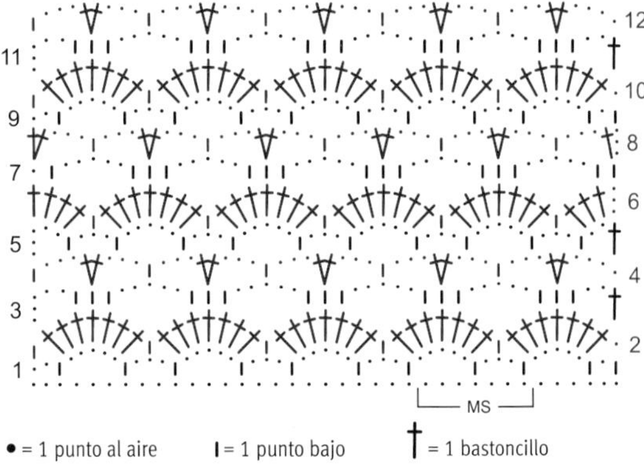


• = 1 punto al aire    I = 1 punto bajo    † = 1 bastoncillo

Número de puntos al aire muestra divisible por 7 + 2 + 2 puntos al aire de giro. Repetir siempre filas 5-12.

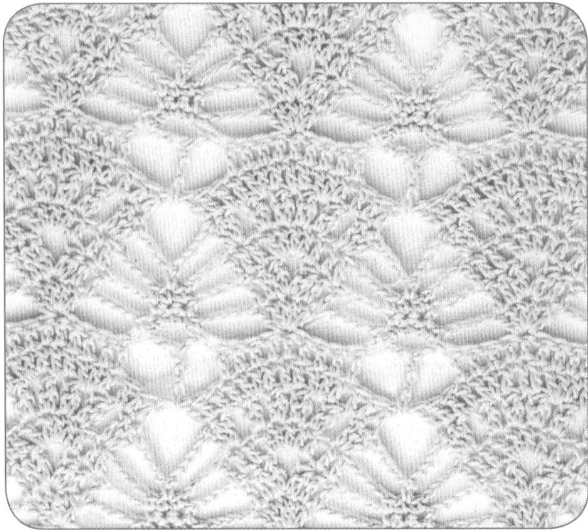

## Tulipanes

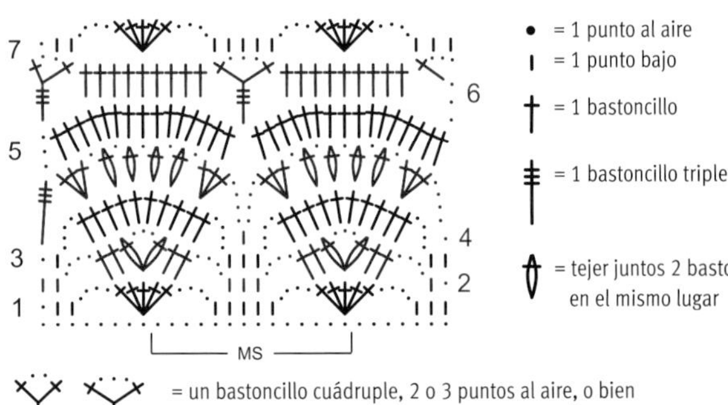


- • = 1 punto al aire
- I = 1 punto bajo
- † = 1 bastoncillo
- ‡ = 1 bastoncillo triple
- = tejer juntos 2 bastor en el mismo lugar

= un bastoncillo cuádruple, 2 o 3 puntos al aire, o bien 1 bastoncillo en el 3.er punto del bastoncillo cuádruple

Si hay varios signos juntos dirigidos hacia abajo, los puntos se pinchan en el mismo lugar; si están hacia arriba, los puntos se cierran juntos.
Número de puntos al aire muestra divisible por 14 + 1 + 1 punto al aire de giro.
Repetir siempre filas 2-7.

## Florecitas

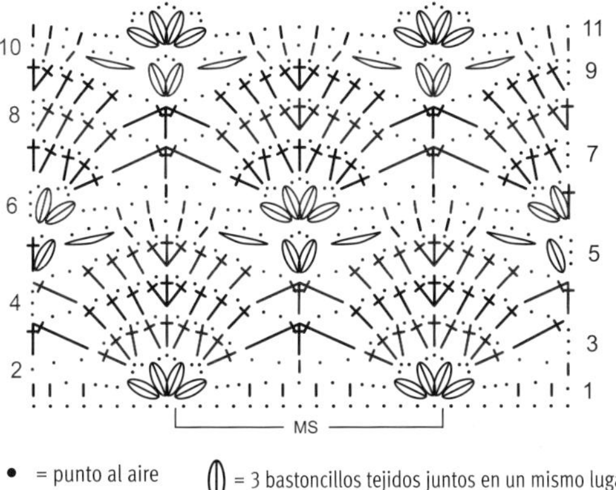

Número de puntos al aire muestra divisible por 16 + 1 + 1 punto al aire de giro. Repetir siempre filas 2-11.

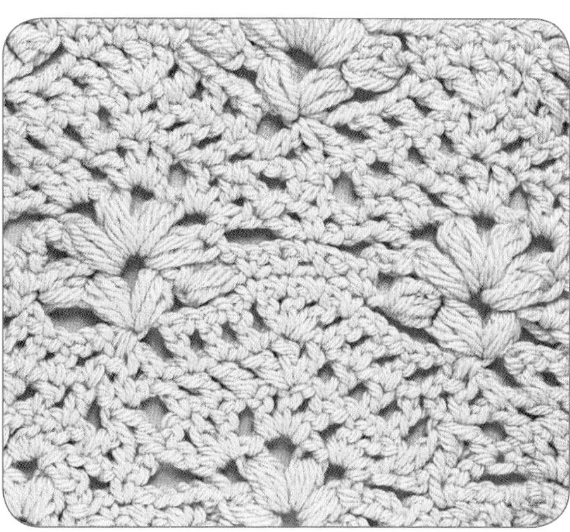

- • = punto al aire
- I = punto bajo
- † = 1 bastoncillo
- = 3 bastoncillos tejidos juntos en un mismo lugar
- = 2 bastoncillos tejidos juntos en un mismo punto y 3 puntos al aire

## Ramilletes de hojas

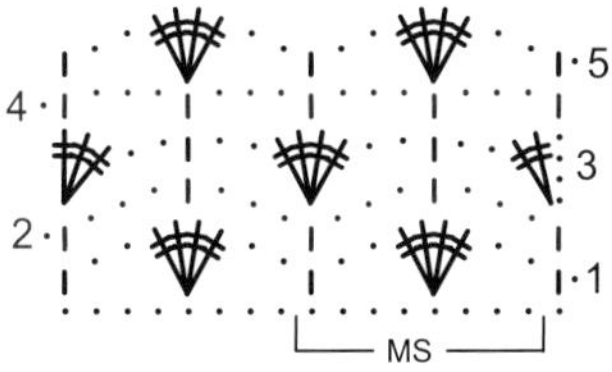

- • = 1 punto al aire
- I = 1 punto bajo
- ‡ = 1 bastoncillo doble

Si los signos están dirigidos juntos hacia abajo, trabajar los puntos en el mismo lugar. Número de puntos al aire muestra divisible por 8 + 1 + 1 punto al aire de giro. Repetir siempre filas 2-5.

## Tela de araña

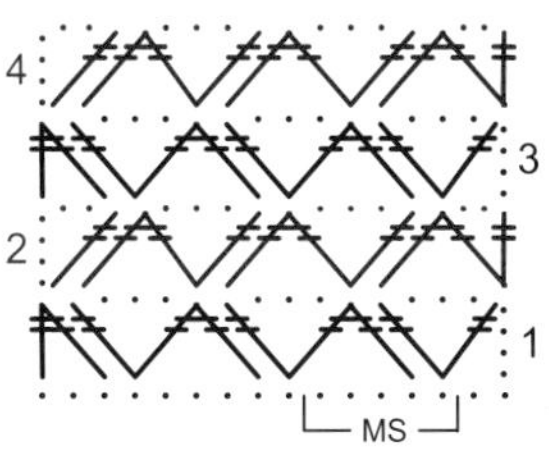

- • = 1 punto al aire
- ‡ = 1 bastoncillo doble

Si los signos están dirigidos juntos hacia abajo, los puntos se pinchan en el mismo lugar. Si están hacia arriba, pasarlos juntos.
Número de puntos al aire muestra divisible por 5 + 1 + 4 puntos al aire de giro.
Repetir siempre filas 3 y 4.

## Ondas enrejadas

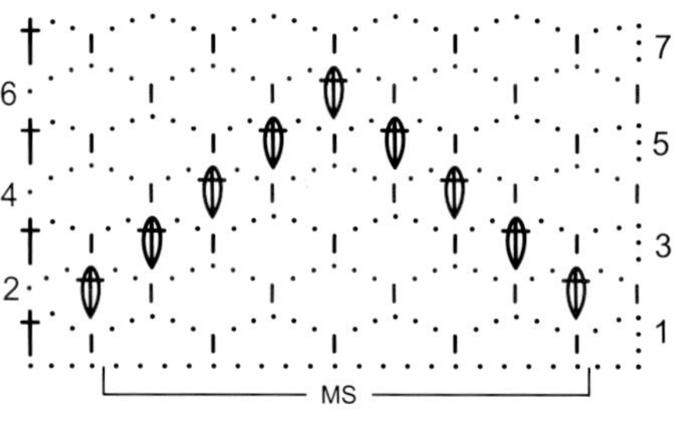


- = 1 punto al aire
I = 1 punto bajo
† = 1 bastoncillo

Número de puntos al aire muestra divisible por 20 + 7 + 5 puntos al aire de giro. Si los signos están dirigidos juntos hacia abajo, pinchar los puntos en el mismo lugar. Si están hacia arriba, tejerlos juntos. Repetir siempre filas 2-7.

## Coronitas

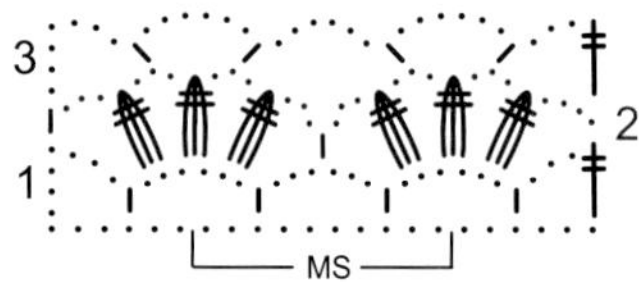


- = 1 punto al aire
I = 1 punto bajo
‡ = 1 bastoncillo doble

Número de puntos al aire muestra divisible por 10 + 2 + 7 puntos al aire de giro. Si los signos están dirigidos hacia arriba, los puntos se tejen juntos. Repetir siempre filas 2 y 3.

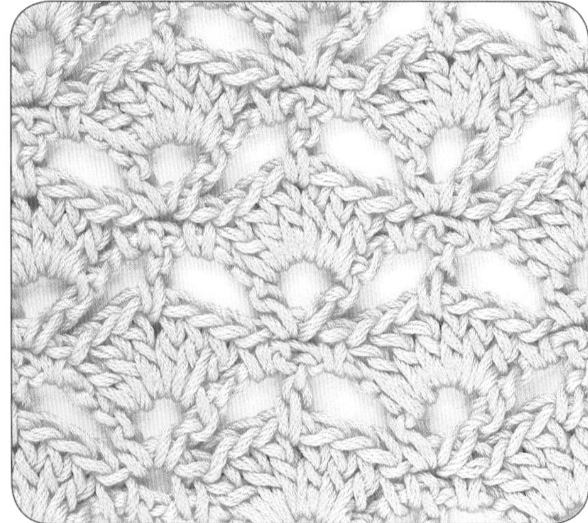

## Muestra con abanicos

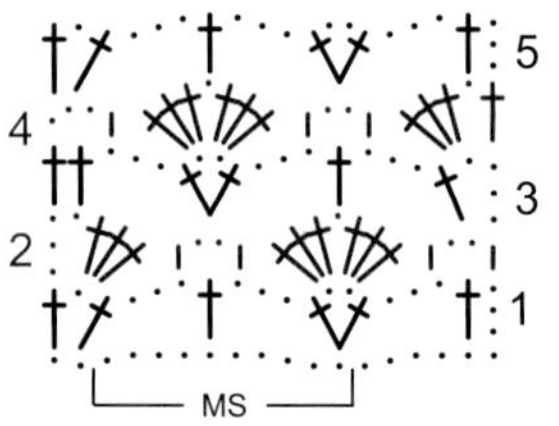


- = 1 punto al aire
I = 1 punto bajo
† = 1 bastoncillo

Número de puntos al aire muestra divisible por 10 + 8 + 3 puntos al aire de giro. Si los signos están dirigidos juntos hacia abajo, se tejen juntos en el mismo lugar. Repetir siempre filas 2-5.

## Tiras onduladas

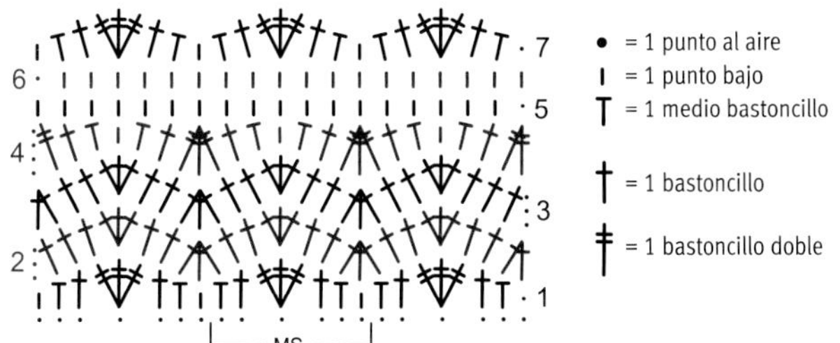


- • = 1 punto al aire
- I = 1 punto bajo
- T = 1 medio bastoncillo
- † = 1 bastoncillo
- ‡ = 1 bastoncillo doble

Número de puntos al aire muestra divisible por 6 + 1 + 1 puntos al aire de giro. Si los signos están dirigidos hacia abajo, tejer los puntos en el mismo lugar; si están hacia arriba, se pasan juntos. Repetir siempre filas 2-7 y cambiar de color después de cada fila.

## Ondas con piquillos

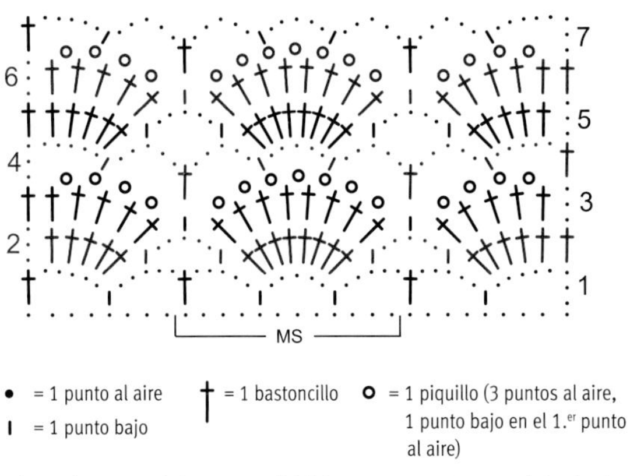


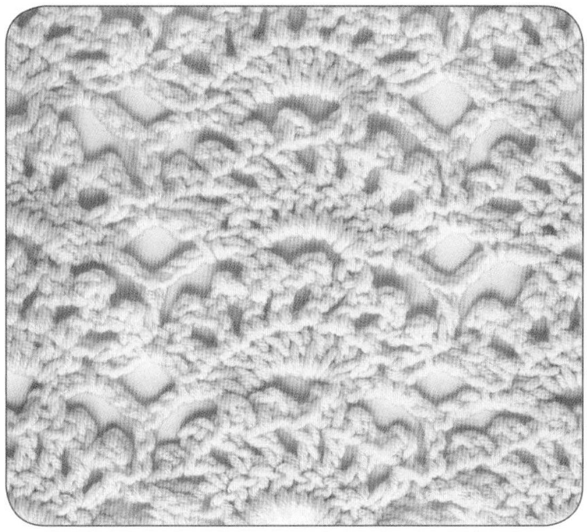

- • = 1 punto al aire
- I = 1 punto bajo
- † = 1 bastoncillo
- o = 1 piquillo (3 puntos al aire, 1 punto bajo en el 1.er punto al aire)

Número de puntos al aire muestra divisible por 12 + 5 + 8 puntos al aire de giro. Repetir siempre filas 2-7.

## Ondas de abanicos

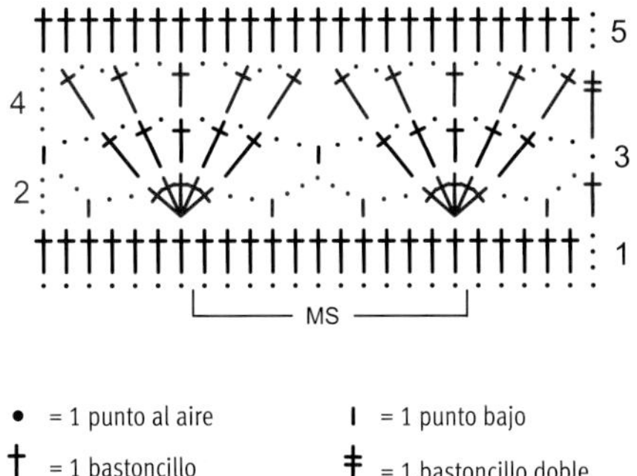


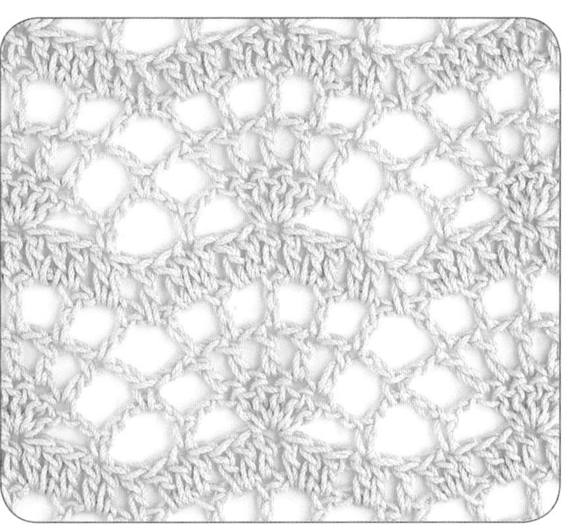

- • = 1 punto al aire
- I = 1 punto bajo
- † = 1 bastoncillo
- ‡ = 1 bastoncillo doble

Número de puntos al aire muestra divisible por 12 + 1 + 3 puntos al aire de giro. Si varios signos están orientados hacia abajo, los puntos se tejen juntos en el mismo lugar. Repetir siempre filas 2-5.

## Muestra de espigas

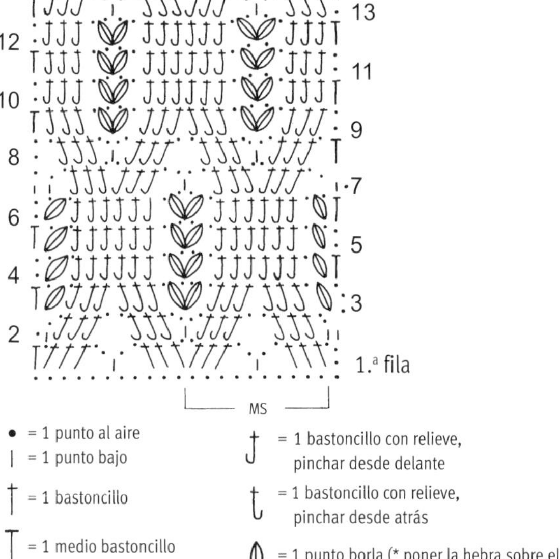

- • = 1 punto al aire
- | = 1 punto bajo
- † = 1 bastoncillo
- T = 1 medio bastoncillo
- = 1 bastoncillo con relieve, pinchar desde delante
- = 1 bastoncillo con relieve, pinchar desde atrás
- = 1 punto borla (* poner la hebra sobre el ganchillo, sacar una lazada y tirar largo, a partir de * repetir × 2, tejer juntas todas las lazadas)

Número de puntos aire muestra divisible por 10 + 2 + 3 puntos al aire de giro. Repetir siempre filas 2-13.

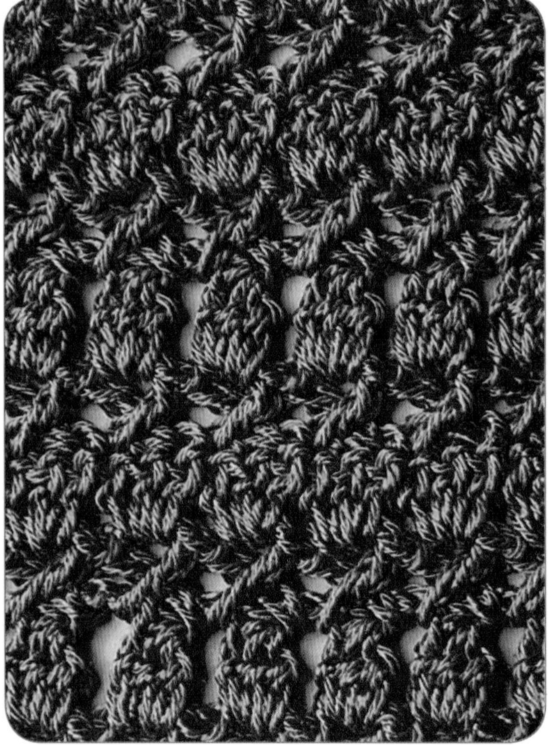

## Tiras cruzadas

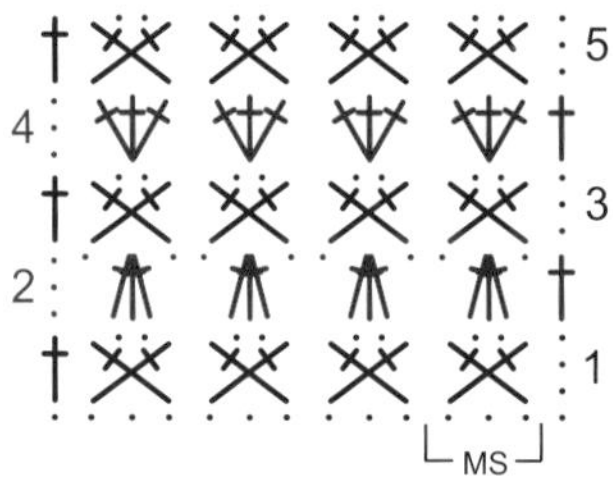

- • = 1 punto al aire
- † = 1 bastoncillo
- = 2 bastoncillos cruzados (para el 1.er bastoncillo pinchar como en el dibujo, pasar cada vez los puntos; para el 2.º bastoncillo, pinchar en el punto pasado tal como se indica en el dibujo; trabajar el 2.º bastoncillo detrás del 1.º).

Número de puntos al aire muestra divisible por 3 + 2 + 3 puntos al aire de giro. Repetir siempre filas 2-5.

## Muestra de tejido

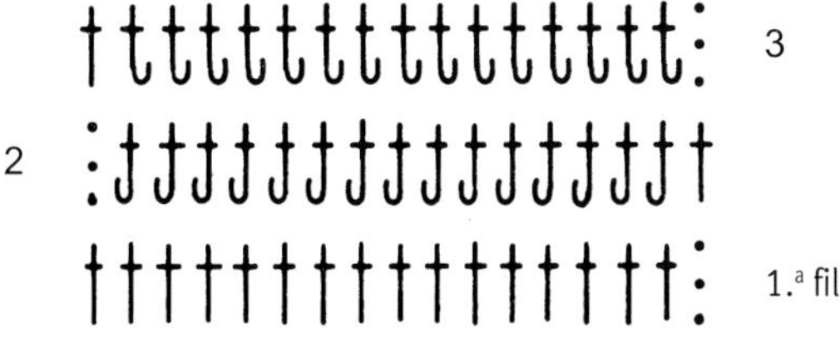


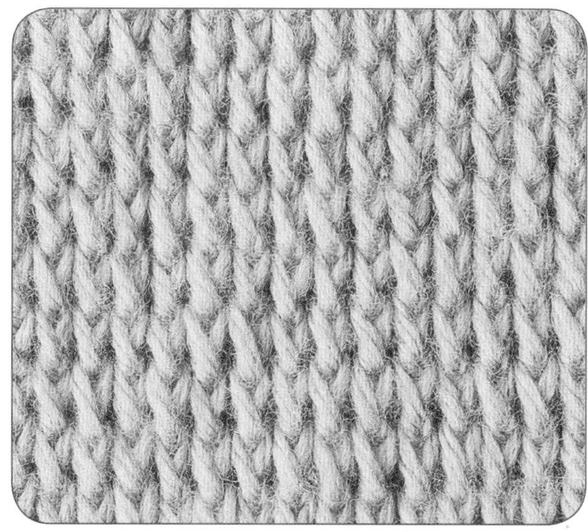

• = 1 punto al aire

† = 1 bastoncillo

(símbolo) = 1 bastoncillo con relieve, pinchar desde delante

(símbolo) = 1 bastoncillo con relieve, pinchar desde atrás

Número de puntos al aire muestra que se desee. Repetir siempre filas 2 y 3.

## Muestra de trenza

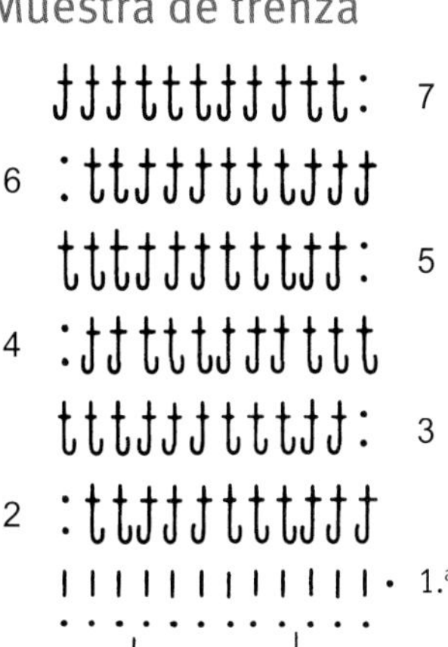


• = 1 punto al aire

I = 1 punto bajo

(símbolo) = 1 bastoncillo con relieve, pinchar desde delante

(símbolo) = 1 bastoncillo con relieve, pinchar desde atrás

Número de puntos al aire divisible por 6 + 1 puntos al aire de giro. Repetir siempre filas 2-7.

## Muestra Inca

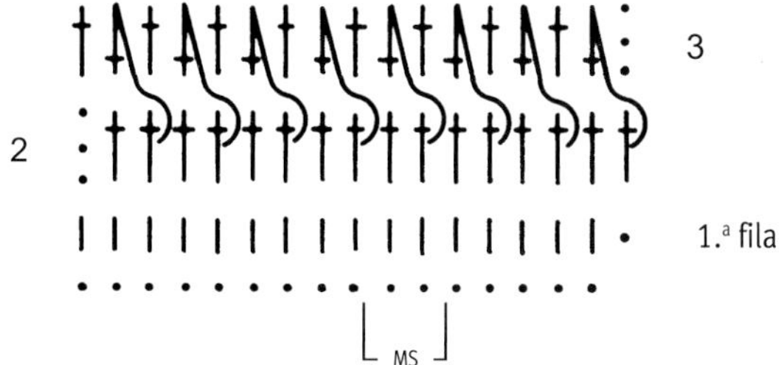


• = 1 punto al aire

I = 1 punto bajo

† = 1 bastoncillo

Número de puntos al aire muestra divisible por 2 + 1 puntos al aire de giro. Repetir siempre filas 2 y 3.

(símbolo) = 1 bastoncillo con relieve, pinchar de delante hacia atrás alrededor del último punto que se encuentra debajo, pinchar 1 bastoncillo en el siguiente punto de la fila y tejer juntos

## Gotas de lluvia

• = 1 punto al aire
| = 1 punto bajo
˩ = 1 punto bajo, pinchar sólo por la parte de atrás del punto
= 2 hebras, pinchar 2 filas más abajo en la parte de delante del punto que está libre y terminar el bastoncillo doble

Número de puntos al aire muestra divisible por 4 + 3 + 1 puntos al aire de giro.
Repetir siempre filas 2-5 y cambiar de color cada 2 filas.

## Tejido popular con trenza

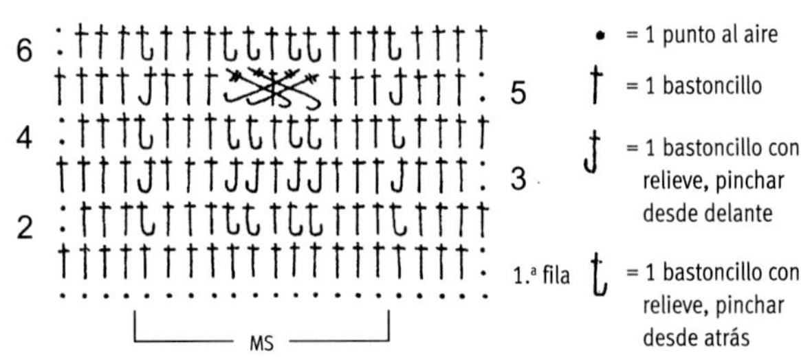


= pasar por encima 3 bastoncillos, en los 2 puntos siguientes, tejer 2 bastoncillos dobles con relieve; en el punto del medio, 1 bastoncillo, y en los primeros 2 puntos tejer hacia atrás 2 bastoncillos dobles con relieve

Número de puntos al aire muestra divisible por 12 + 9 + 2 puntos al aire de giro.
Repetir siempre filas 3-6.

## Trenza grande

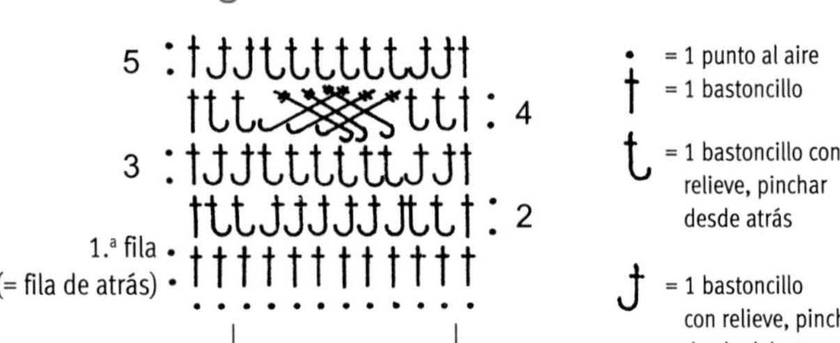

 = pasar por encima 3 bastoncillos con relieve, en los siguientes 3 bastoncillos con relieve trabajar 3 bastoncillos con relieve triples; desde delante, sobre los 3 bastoncillos con relieve pasados por encima, trabajar 3 bastoncillos dobles con relieve

Número de puntos al aire muestra divisible por 9 + 3 + 2 puntos al aire de giro.
Repetir siempre filas 2-5.

## Rayos de sol

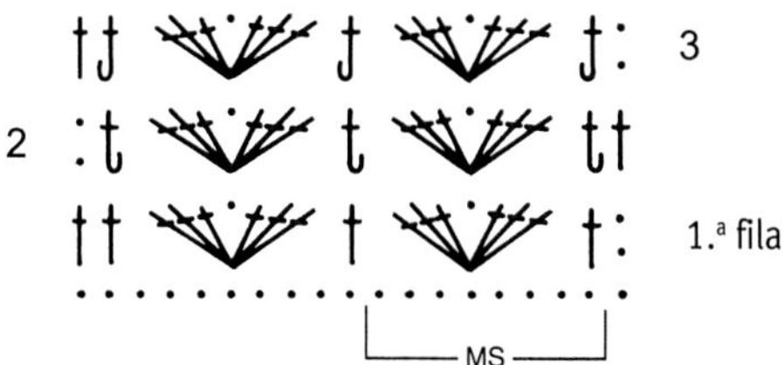


- • = 1 punto al aire
- = 1 bastoncillo
- = 1 bastoncillo con relieve, pinchar desde delante
- = 1 bastoncillo con relieve, pinchar desde atrás
- = 3 bastoncillos, pinchar en el mismo lugar 1 punto al aire y 3 bastoncillos

Número de puntos al aire muestra divisible por 8 + 3 + 2 puntos al aire de giro.
Repetir siempre filas 2 y 3.

## Cuadritos de colores

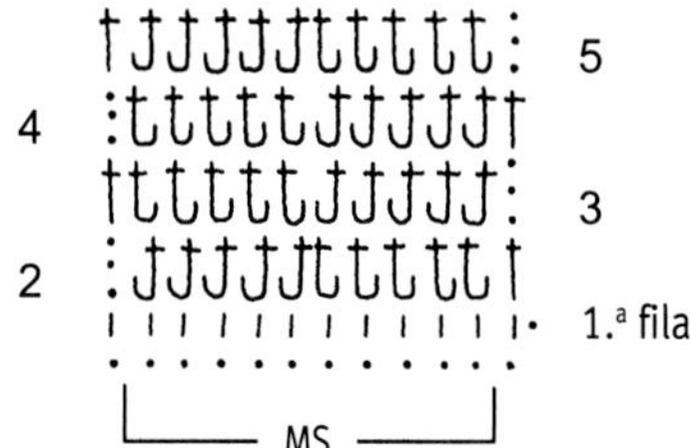


- • = 1 punto al aire
- I = 1 punto bajo
- = 1 bastoncillo
- = 1 bastoncillo con relieve, pinchar desde delante
- = 1 bastoncillo con relieve, pinchar desde atrás

Número de puntos al aire muestra divisible por 10 + 2 + 1 puntos al aire de giro.
Repetir siempre filas 2-5 y cambiar de color cada 2 filas.

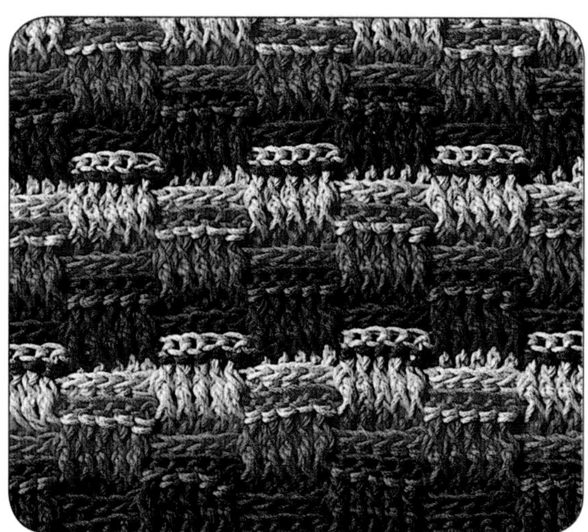

## Rayos con relieve

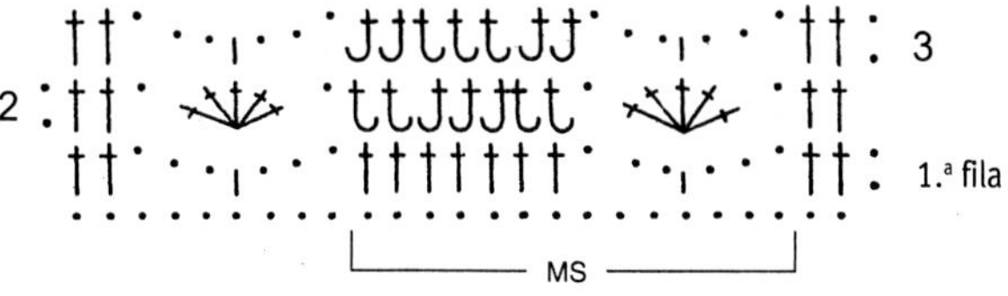


- • = 1 punto al aire
- = 1 bastoncillo
- = 1 bastoncillo con relieve, pinchar desde atrás
- = 1 bastoncillo con relieve, pinchar desde delante
- = 5 bastoncillos pinchados juntos

Número de puntos al aire muestra divisible por 14 + 11 + 2 puntos al aire de giro.
Repetir siempre filas 2 y 3.

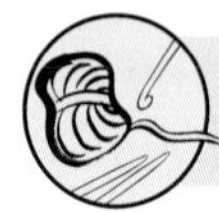

# Muestras con relieve

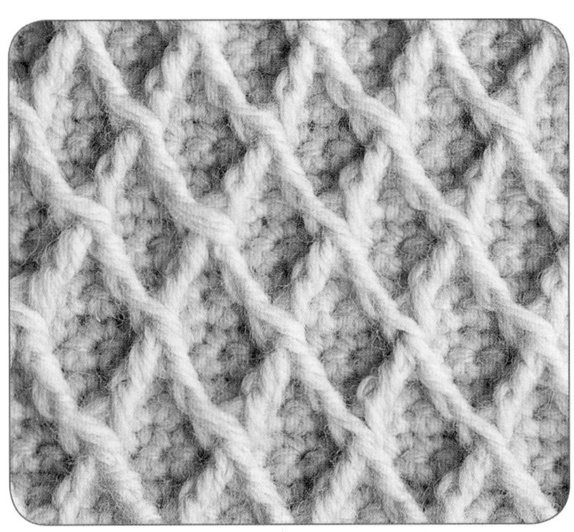

## Pequeños rombos

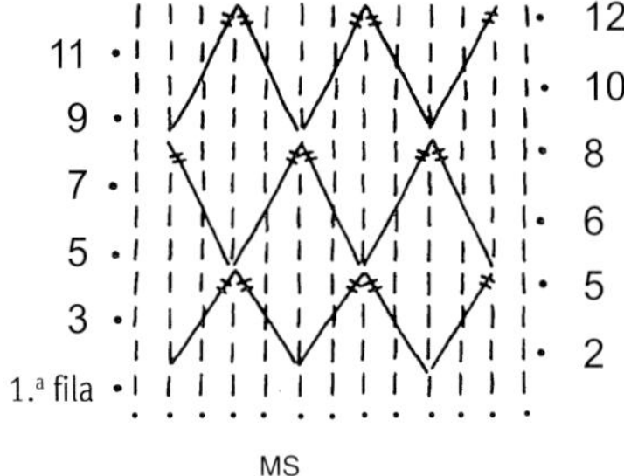


• = 1 punto al aire
I = 1 punto bajo
= 1 bastoncillo doble pinchado más abajo

Número de puntos al aire muestra divisible por 4 + 1 + 1 puntos al aire de giro. Repetir siempre filas 5-12.

## Rombos con relieve

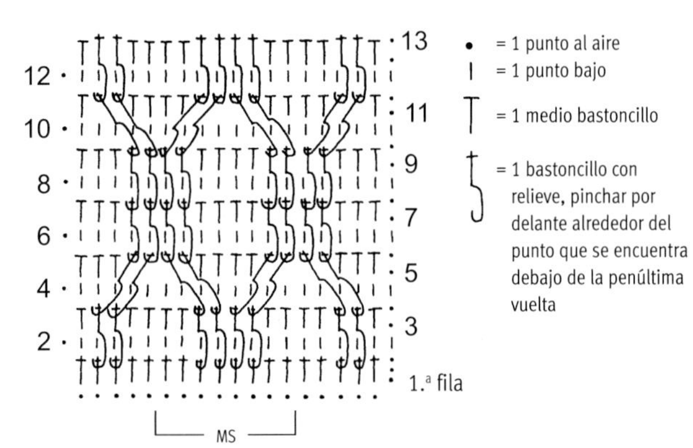

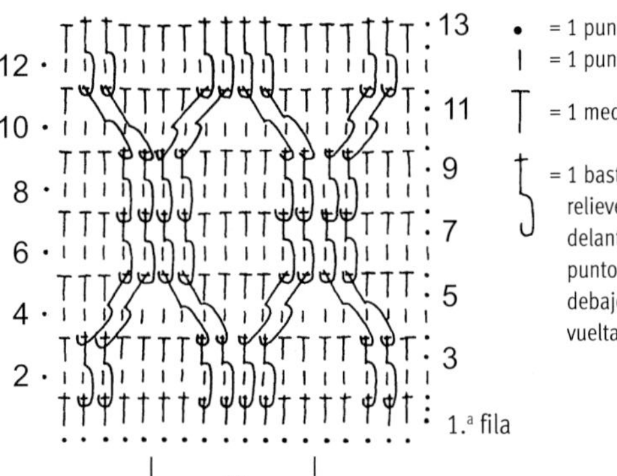


• = 1 punto al aire
I = 1 punto bajo
T = 1 medio bastoncillo
= 1 bastoncillo con relieve, pinchar por delante alrededor del punto que se encuentra debajo de la penúltima vuelta

Número de puntos al aire muestra divisible por 8 + 2 + 3 puntos al aire de giro. Repetir siempre filas 2-13.

## Muestra tipo mimbre

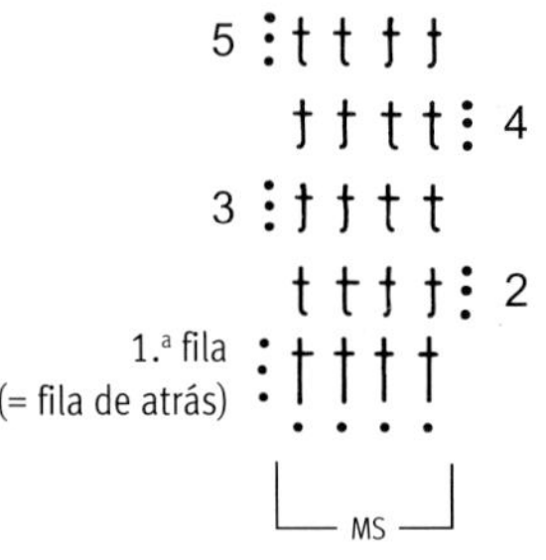


• = 1 punto al aire
† = 1 bastoncillo
= 1 bastoncillo con relieve, pinchar desde delante
= 1 bastoncillo con relieve, pinchar desde atrás

Número de puntos al aire muestra divisible por 4 + 3 puntos al aire de giro. Repetir siempre filas 2-5.

## Vides

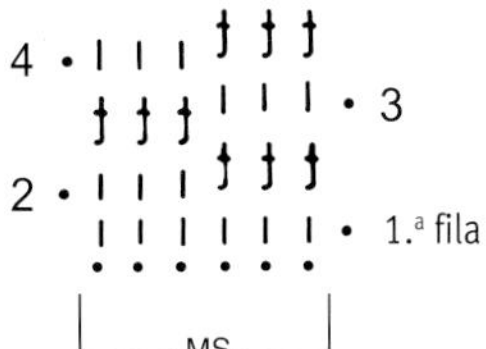

• = 1 punto al aire
| = 1 punto bajo
† = 1 bastoncillo con relieve, pinchar desde delante

Número de puntos al aire muestra divisible por 6 + 1 puntos al aire de giro.
Repetir siempre filas 3 y 4.

## Trenzas con relieve

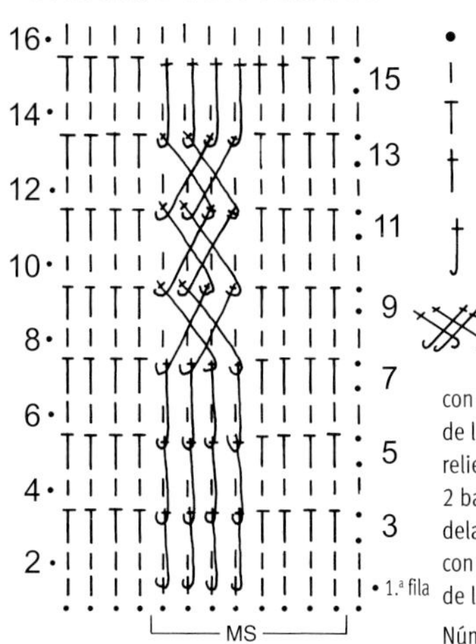

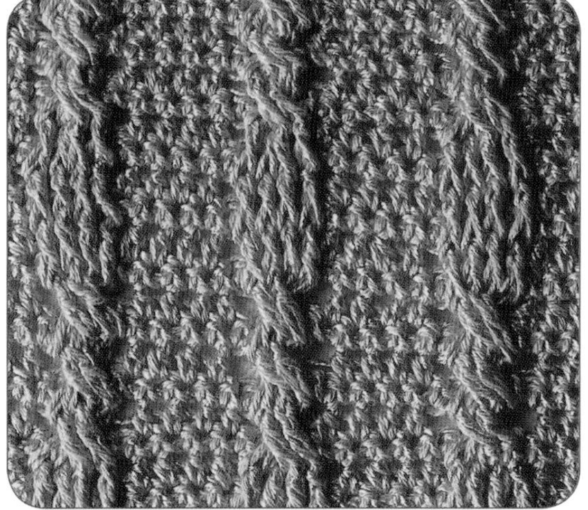

• = 1 punto al aire
| = 1 punto bajo
T = 1 medio bastoncillo
† = 1 bastoncillo
= 1 bastoncillo con relieve, pinchar desde delante, pero 1 fila más abajo
= pasar 2 bastoncillos con relieve de la penúltima fila. Cada bastoncillo con relieve se teje desde delante alrededor de los 2 siguientes bastoncillos con relieve de la penúltima fila, luego 2 bastoncillos con relieve pinchados desde delante alrededor de los dos bastoncillos con relieve pasados por encima de la penúltima fila

Número de puntos al aire muestra divisible por 8 + 5 + 1 puntos al aire de giro.
Repetir siempre filas 5-16.

## Trencitas quebradas

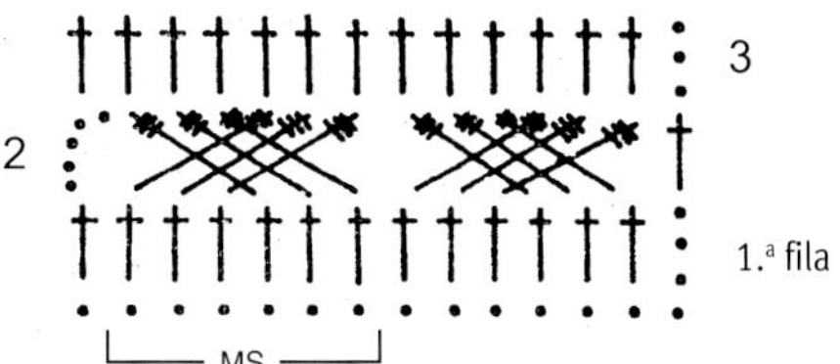

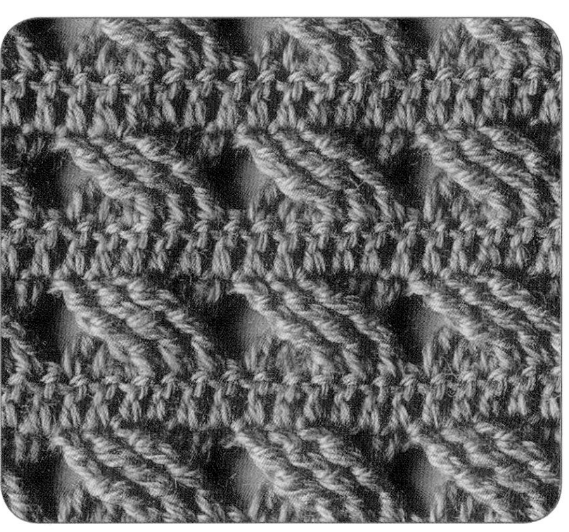

• = 1 punto al aire

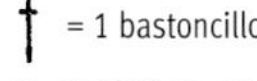 = 1 bastoncillo

 = pasar 3 bastoncillos, tejer 3 bastoncillos triples en los 3 siguientes bastoncillos, en los 3 bastoncillos pasados por encima tejer luego 3 bastoncillos triples

Número de puntos al aire muestra divisible por 6 + 2 + 3 puntos al aire de giro.
Repetir siempre filas 2 y 3.

## Muestra a rayas

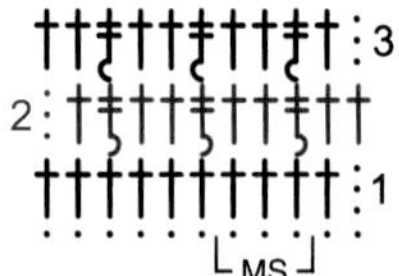


- = 1 punto al aire
- = 1 bastoncillo
- = 1 bastoncillo doble con relieve pinchado desde delante (pinchar de delante atrás alrededor del bastoncillo situado debajo y tejer un bastoncillo doble)
- = 1 bastoncillo doble con relieve pinchado desde atrás (pinchar de atrás hacia delante alrededor del bastoncillo que se encuentra debajo y tejer un bastoncillo doble)

Número de puntos al aire muestra divisible por 3 + 2 + 3 puntos al aire de giro. Repetir siempre filas 2 y 3.

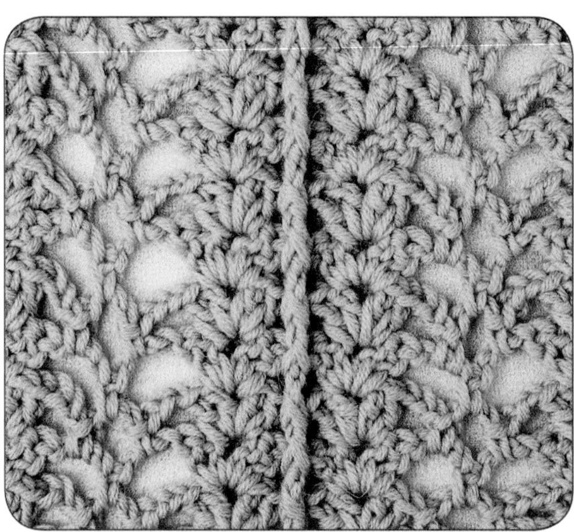

## Muestra con arcos

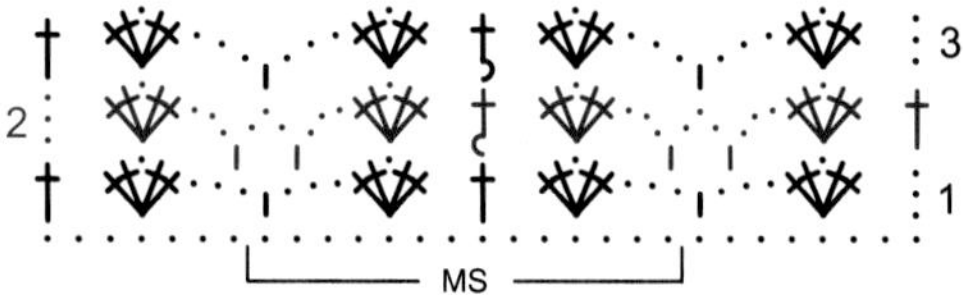


- = 1 punto al aire
- = 1 punto bajo
- = 1 bastoncillo
- = 1 bastoncillo con relieve pinchado desde delante (pinchar de delante atrás alrededor del bastoncillo que se encuentra debajo y tejer 1 bastoncillo)
- = 1 bastoncillo con relieve pinchado desde atrás (pinchar de atrás hacia delante alrededor del bastoncillo que se encuentra debajo y tejer 1 bastoncillo)

Número de puntos al aire muestra divisible por 14 + 1 + 3 puntos al aire de giro. Repetir siempre filas 2 y 3.

## Muestra de tejido de mimbre

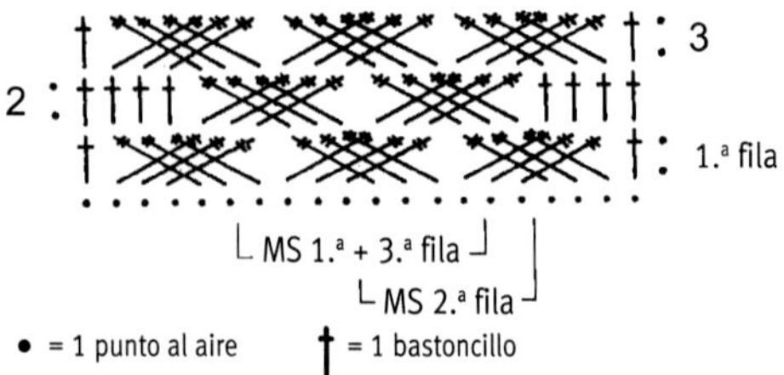


- = 1 punto al aire
- = 1 bastoncillo

= pasar por encima 3 bastoncillos o dobles bastoncillos o puntos al aire, a continuación 3 bastoncillos o bien bastoncillos dobles. Trabajar 3 bastoncillos, luego tejer desde delante 3 dobles bastoncillos en el bastoncillo que se ha pasado por encima o bien dobles bastoncillos o puntos al aire

Número de puntos al aire muestra divisible por 6 + 2 + 2 puntos al aire de giro. Repetir siempre filas 2 y 3 y en cada 2.ª fila pinchar desde atrás en los puntos pasados por encima.

## Caperuzas

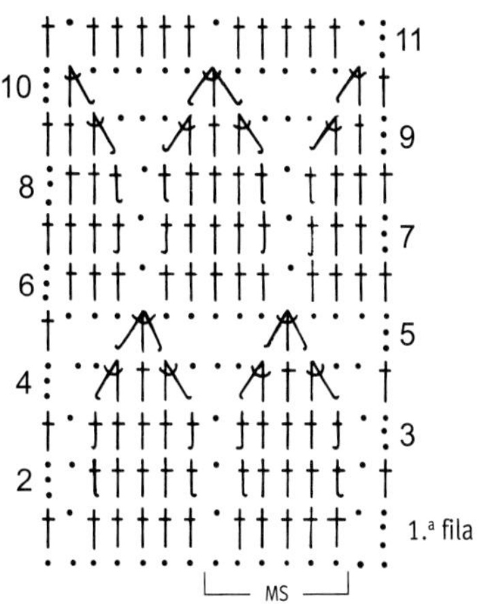

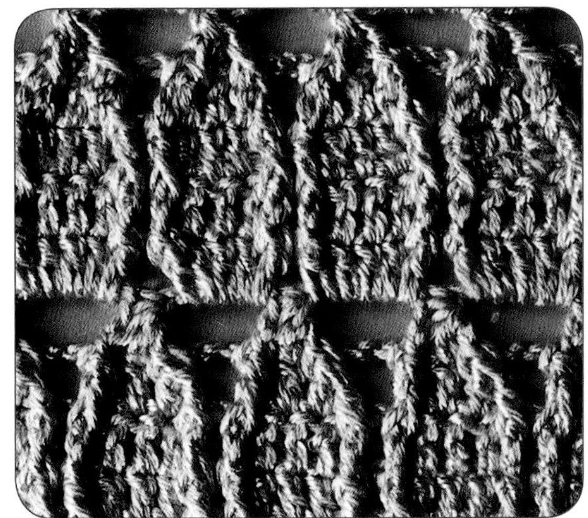

• = 1 punto al aire
† = 1 bastoncillo
= 1 bastoncillo con relieve, pinchar desde atrás
= 1 bastoncillo con relieve, pinchar desde delante

Número de puntos al aire muestra divisible por 6 + 3 + 4 puntos al aire de giro. Repetir siempre filas 2-11.

## Astrakán

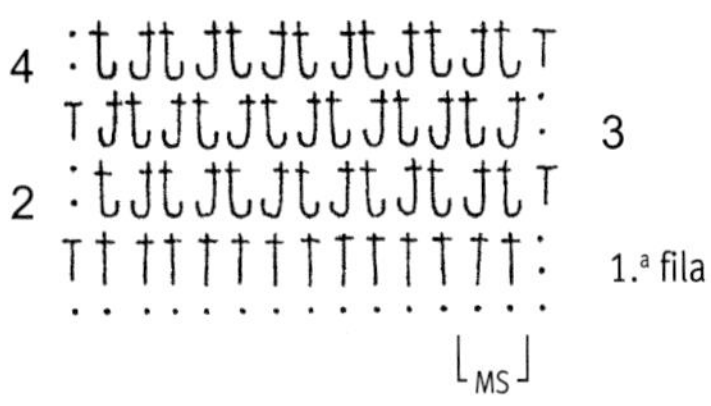

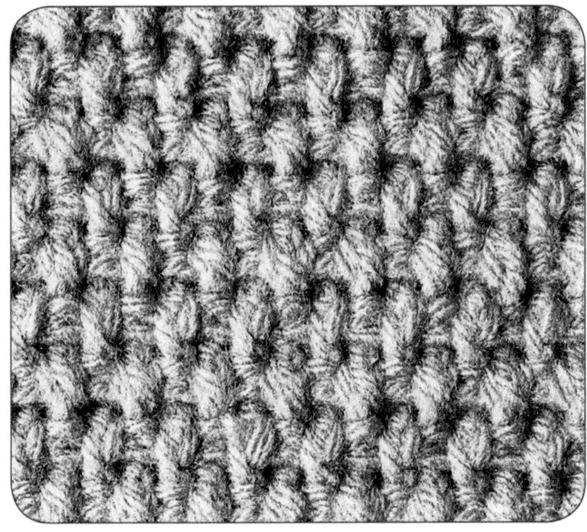

• = 1 punto al aire
= 1 medio bastoncillo
† = 1 bastoncillo
= 1 bastoncillo con relieve, pinchar desde delante
= 1 bastoncillo con relieve, pinchar desde atrás

Número de puntos al aire muestra divisible por 2 + 1 + 2 puntos al aire de giro. Repetir siempre filas 3 y 4.

## Paquetitos

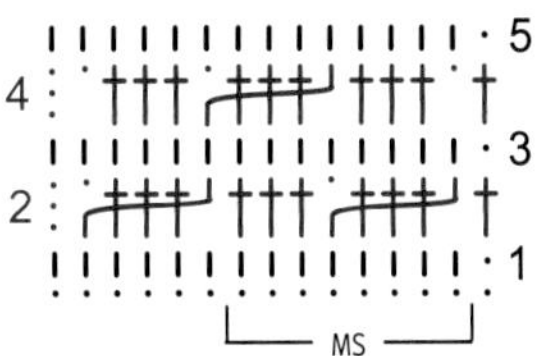

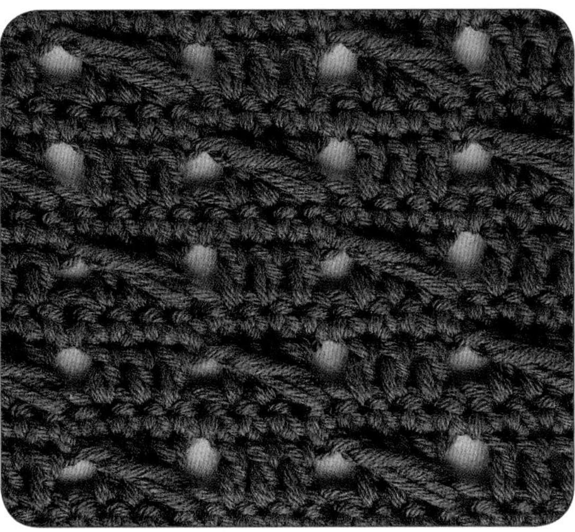

• = 1 punto al aire
I = 1 punto bajo
† = 1 bastoncillo
= 1 punto bajo que se pincha en el punto pasado por encima y se estira a la altura del bastoncillo

Número de puntos al aire muestra divisible por 8 + 7 + 1 puntos al aire de giro. Repetir siempre filas 2-5.

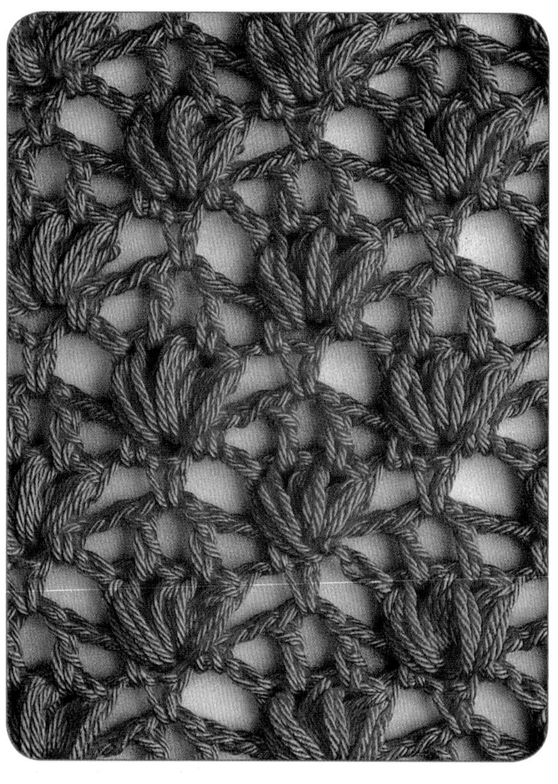

## Coronitas

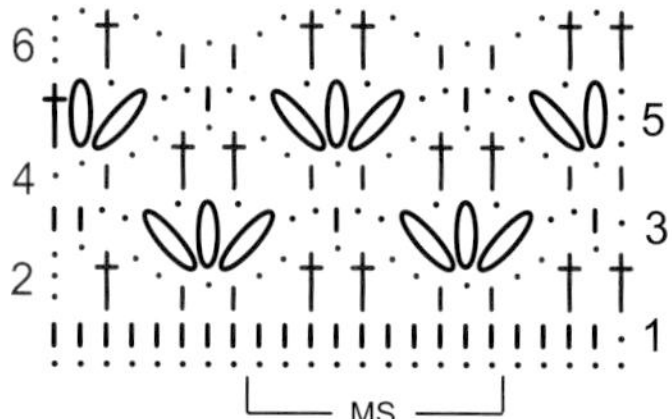


- • = 1 punto al aire
- I = 1 punto bajo
- † = 1 bastoncillo
- 0 = 1 punto borla (* poner 1 hebra en el ganchillo, sacar 1 lazada y estirarla, a partir de * repetir × 2, pasar juntas las lazadas, 1 punto al aire)

Si varios signos están orientados hacia abajo, los puntos se tejen en el mismo lugar. Número de puntos al aire muestra divisible por 10 + 3 + 1 puntos al aire de giro. Repetir siempre filas 3-6.

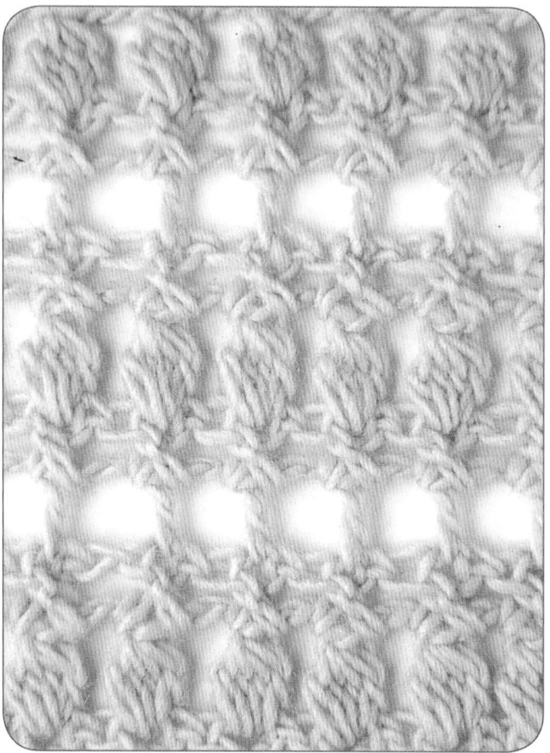

## Muestra de borlas fileteadas

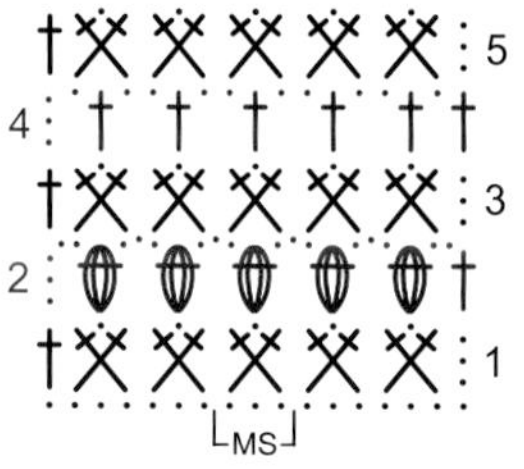


- • = punto al aire
- † = bastoncillo
- ✕ = bastoncillos cruzados (tejer 1 bastoncillo en el segundo lugar de pinchado siguiente o del siguiente arco de puntos al aire, 1 punto al aire, luego tejer hacia atrás 1 bastoncillo en el 1.er punto pasado por encima o en el último arco de puntos al aire)
- 0 = 4 bastoncillos pinchados juntos alrededor del punto al aire de la fila anterior

Número de puntos al aire muestra divisible por 3 + 2 + 3 puntos al aire de giro. Repetir siempre filas 2-5.

## Rayas cruzadas

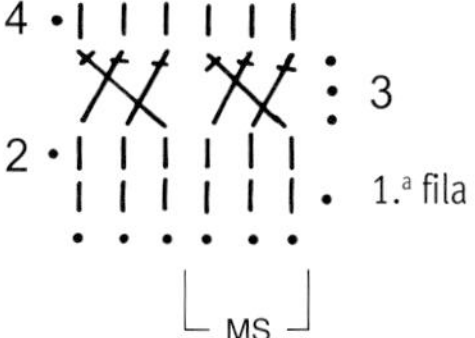


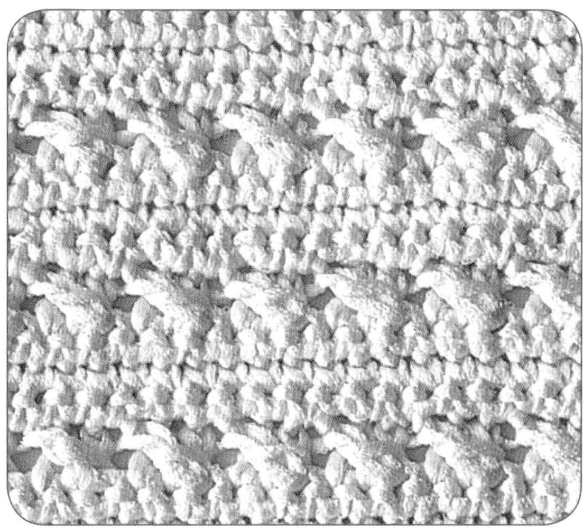

• = 1 punto al aire
| = 1 punto bajo
† = 1 bastoncillo

= pasar 1 punto por encima, 1 bastoncillo en los 2 puntos siguientes, tejer hacia atrás 1 bastoncillo en el punto pasado por encima y tejer delante del bastoncillo

Número de puntos al aire muestra divisible por 3 + 1 puntos al aire de giro. Repetir siempre filas 1-4.

## Alternancia de borlas

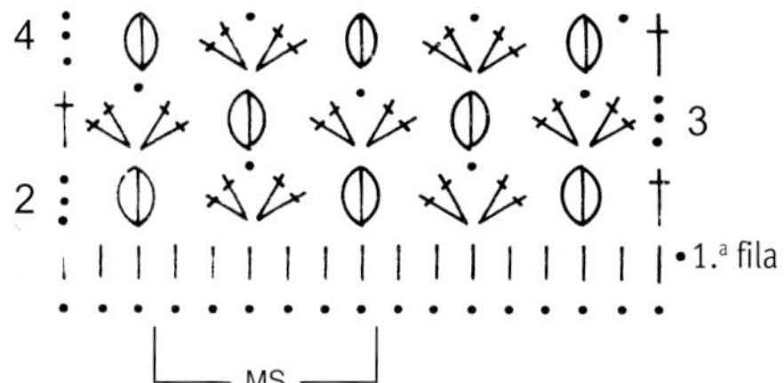

• = 1 punto al aire | = 1 punto bajo † = 1 bastoncillo

= 1 punto borla (1 hebra, sacar el hilo y tirar para que quede largo, 1 hebra, sacar el hilo, 1 hebra, sacar el hilo, poner todas las lazadas del mismo largo, sacar el hilo y pasarlo por todas las lazadas)

Si varios signos juntos están dirigidos hacia abajo, pinchar los puntos en el mismo lugar.
Número de puntos al aire muestra divisible por 6 + 5 + 1 puntos al aire de giro. Repetir siempre filas 3 y 4.

## Grupos de borlas alternados

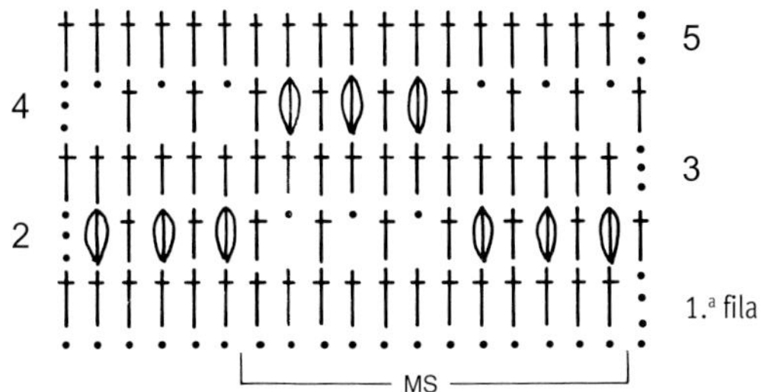

• = 1 punto al aire † = 1 bastoncillo

= 1 punto borla (1 hebra, sacar el hilo y tirar para que quede largo, 1 hebra, sacar el hilo, 1 hebra, sacar el hilo, poner todas las lazadas del mismo largo, sacar el hilo y pasarlo por todas las lazadas)

Número de puntos divisibles al aire muestra divisible por 12 + 7 + 3 puntos al aire de giro. Repetir siempre filas 2-5.

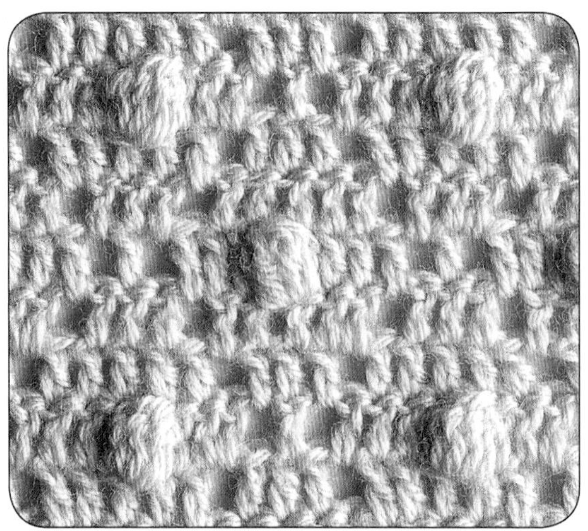

## Rombos de motas

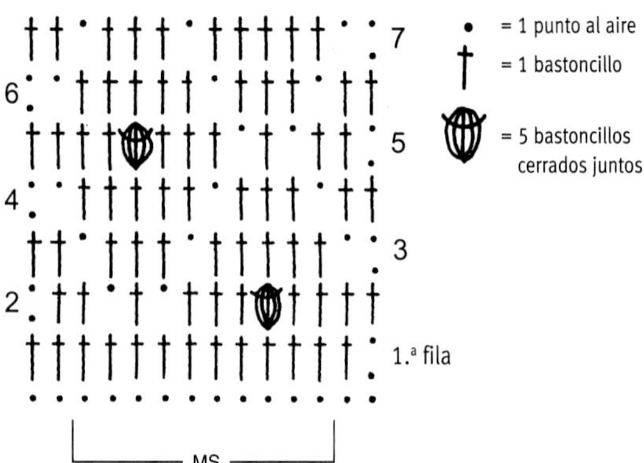


Número de puntos al aire muestra divisible por 10 + 4 + 2 puntos al aire de giro. Repetir siempre filas 2-7.

## Espigas de trigo

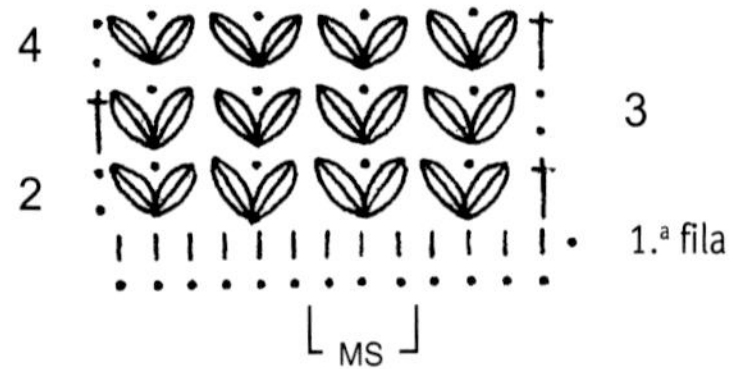


• = 1 punto al aire
| = 1 punto bajo
† = 1 bastoncillo
= 1 punto borla (* 1 hebra, sacar el hilo, tirar para que quede largo, a partir de * repetir × 2, sacar el hilo y pasarlo por todas las lazadas)

Número de puntos al aire muestra divisible por 3 + 1 + 1 puntos al aire de giro. Repetir siempre filas 3 y 4.

## Muestra principesca

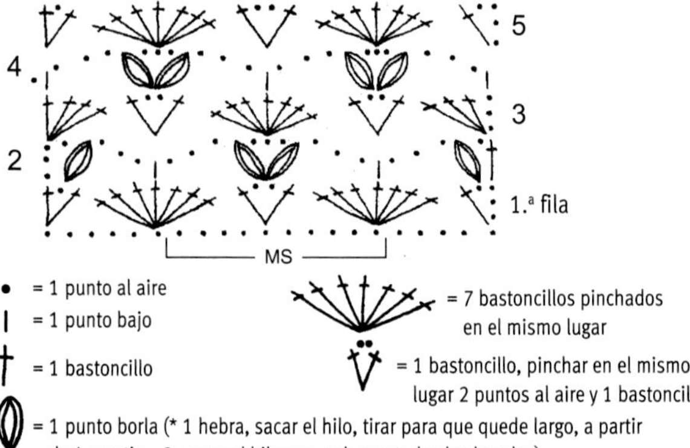


Número de puntos al aire muestra divisible por 10 + 1 + 4 puntos al aire de giro. Repetir siempre filas 2-5.

## Muestra romana

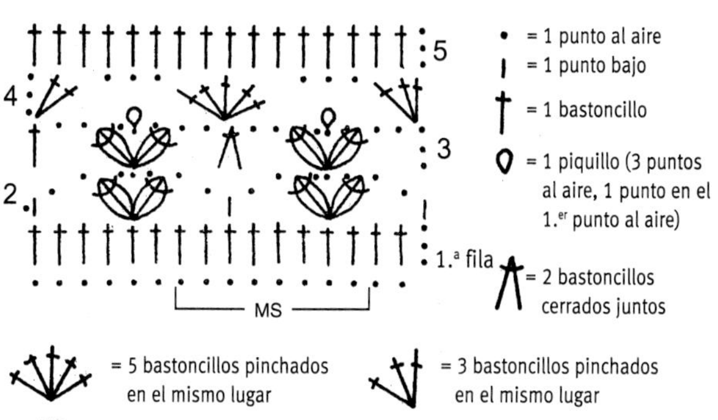


• = 1 punto al aire
| = 1 punto bajo
† = 1 bastoncillo
= 1 piquillo (3 puntos al aire, 1 punto en el 1.er punto al aire)
= 2 bastoncillos cerrados juntos

= 5 bastoncillos pinchados en el mismo lugar
= 3 bastoncillos pinchados en el mismo lugar
= 3 bastoncillos cerrados juntos, trabajar 3 puntos al aire y 3 bastoncillos cerrados juntos en el mismo lugar

Número de puntos al aire muestra divisible por 8 + 3 puntos al aire de giro.
Repetir siempre filas 2-5.

## Triángulos de capullos

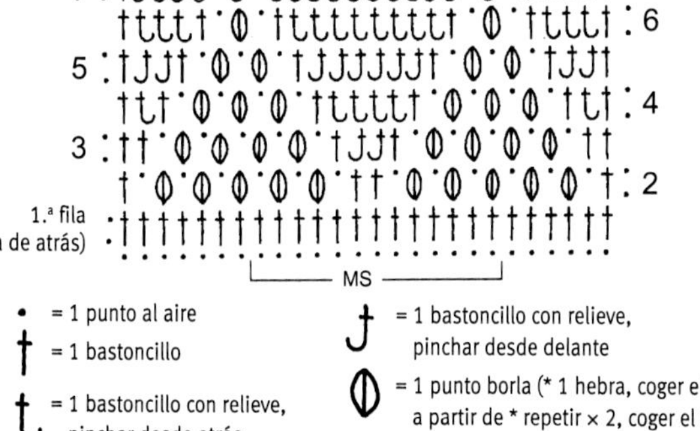


• = 1 punto al aire
† = 1 bastoncillo
= 1 bastoncillo con relieve, pinchar desde atrás
= 1 bastoncillo con relieve, pinchar desde delante
= 1 punto borla (* 1 hebra, coger el hilo, a partir de * repetir × 2, coger el hilo y pasarlo por todas las lazadas)

Número de puntos al aire muestra divisible por 13 + 2 puntos al aire de giro.
Repetir siempre filas 2-7.

## Franjas con borlas

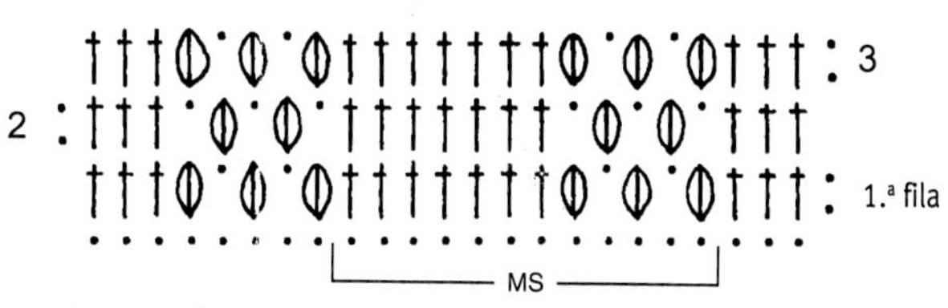


• = 1 punto al aire
† = 1 bastoncillo
= 1 punto borla (1 hebra, sacar el hilo, tirar y dejarlo largo, 1 hebra, sacar el hilo y pasarlo por todas las lazadas)

Número de puntos al aire muestra divisible por 12 + 11 + 2 puntos al aire de giro.
Repetir siempre filas 2 y 3.

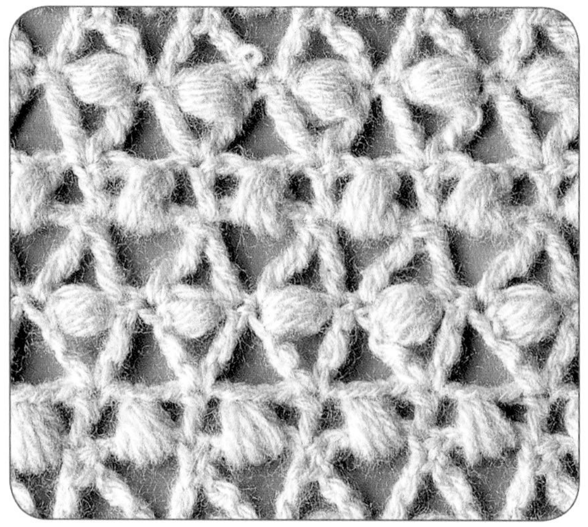

## Cerezas

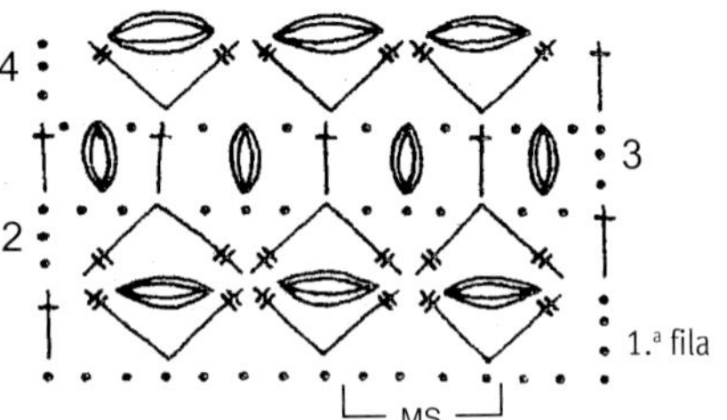


• = 1 punto al aire

† = 1 bastoncillo

‡ = 1 bastoncillo doble

= 1 punto borla (* 1 hebra, sacar el hilo, tirar y dejarlo un poco largo, a partir de * repetir × 3, dejar todas las lazadas del mismo largo, sacar el hilo y pasarlo por todas las lazadas)

Número de puntos al aire muestra divisible por 4 + 3 + 3 puntos al aire de giro. Repetir siempre filas 2-4.

## Parejas de motas alternadas

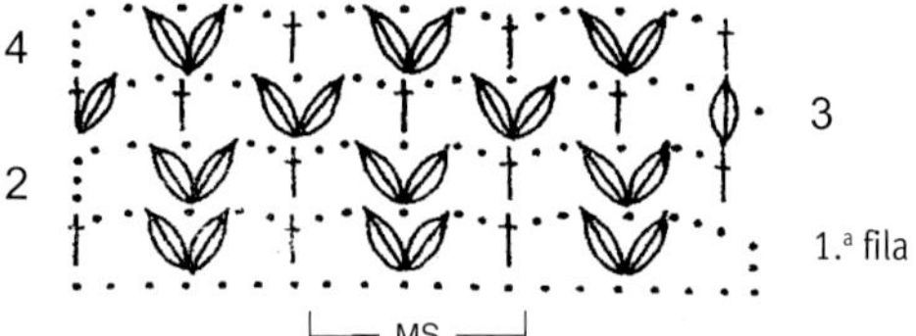


• = 1 punto al aire

† = 1 bastoncillo

= 1 punto borla (* 1 hebra, sacar el hilo, tirar y dejarlo un poco largo, a partir de * repetir × 2, dejar todas las lazadas del mismo largo, sacar el hilo y pasarlo por todas las lazadas), pinchar 1 punto al aire y 1 punto borla en el mismo lugar.

Número de puntos al aire muestra divisible por 6 + 2 + 5 puntos al aire de giro. Tejer filas 1-4, luego repetir siempre filas 2-4.

## Ondas y borlas

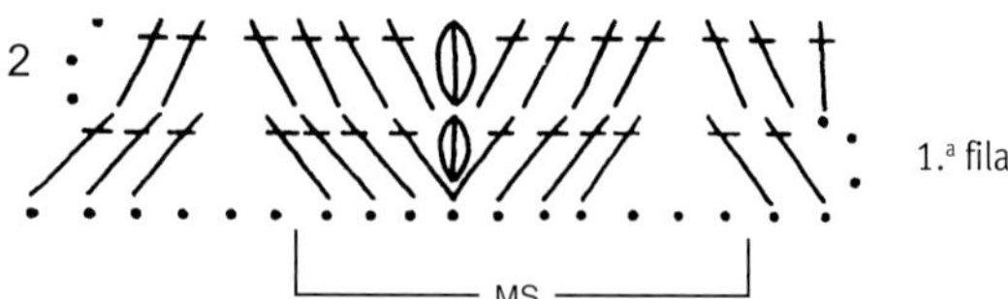


• = 1 punto al aire

† = 1 bastoncillo

= 1 punto borla (* 1 hebra, sacar el hilo, tirar y dejarlo un poco largo, a partir de * repetir × 2, dejar todas las lazadas del mismo largo, sacar el hilo y pasarlo por todas las lazadas)

Número de puntos al aire muestra divisible por 10 + 8 + 3 puntos al aire de giro. Repetir siempre filas 1 y 2.

## Coronas grandes

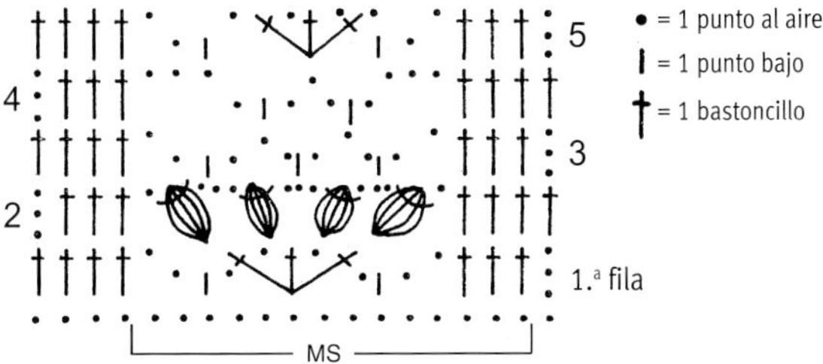


• = 1 punto al aire
I = 1 punto bajo
† = 1 bastoncillo

= 1 bastoncillo, 1 punto al aire, 1 bastoncillo, 1 punto al aire y 1 bastoncillo pinchados en el mismo lugar

= 5 bastoncillos cerrados juntos

Número de puntos al aire muestra divisible por 14 + 5 + 3 puntos al aire de giro. Repetir siempre filas 2-5.

## Grupitos de borlas

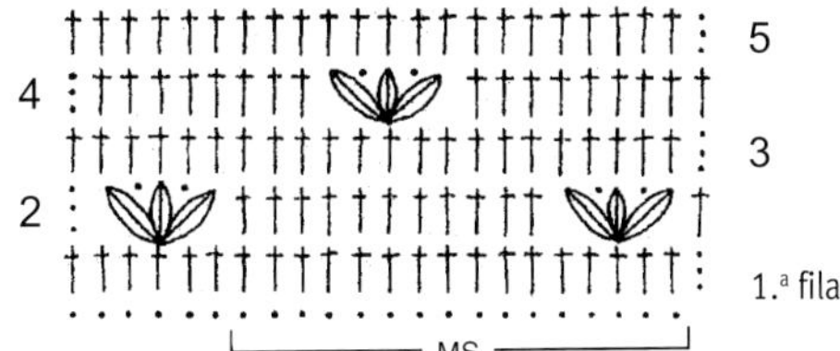


• = 1 punto al aire

† = 1 bastoncillo

= 1 punto borla (* 1 hebra, coger el hilo, tirar para dejarlo un poco largo, a partir de * repetir × 2, dejar todas las lazadas del mismo largo, sacar el hilo y pasarlo por todas las lazadas), pinchar en el mismo lugar 1 punto al aire, 1 punto borla, 1 punto al aire y 1 punto borla.

Número de puntos al aire muestra divisible por 16 + 6 + 3 puntos al aire de giro. Repetir siempre filas 2-5.

## Coronas pequeñas

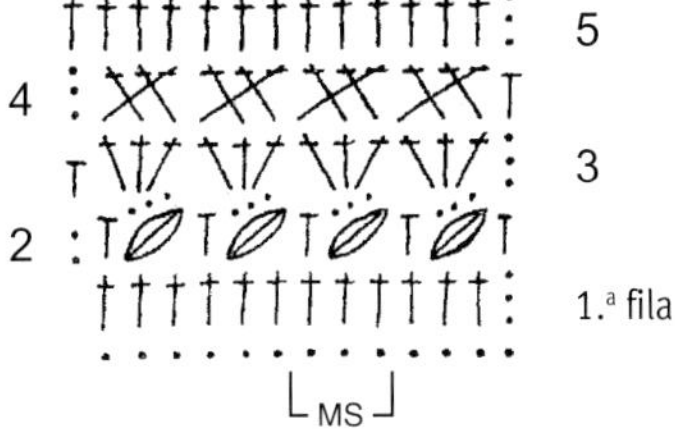


• = 1 punto al aire

† = 1 bastoncillo

T = 1 medio bastoncillo

= 1 punto borla (* 1 hebra, coger el hilo, tirar para dejarlo un poco largo, a partir de * repetir × 2, dejar todas las lazadas del mismo largo, sacar el hilo y pasarlo por todas las lazadas)

Número de puntos al aire muestra divisible por 3 + 1 + 3 puntos al aire de giro. Repetir siempre filas 2-5.

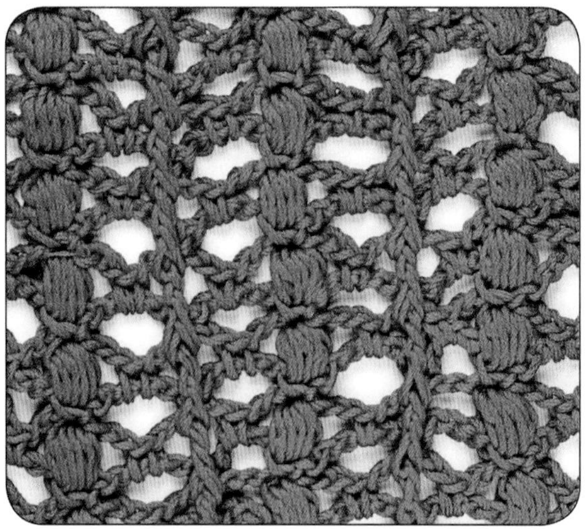

## Tiras con motas

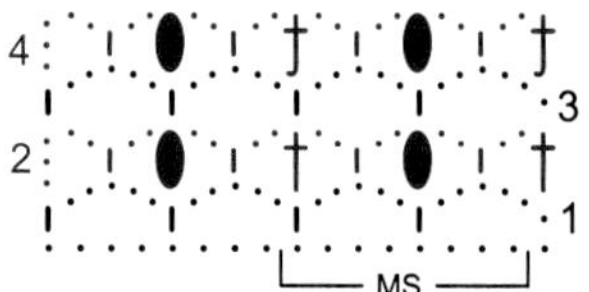


- • = 1 punto al aire
- I = 1 punto bajo
- † = 1 bastoncillo
- = 1 bastoncillo con relieve: tejer 1 bastoncillo de delante hacia atrás alrededor del bastoncillo que se encuentra en la fila de abajo
- = 1 mota (* 1 hebra, sacar 1 lazada, a partir de * repetir × 4, luego pasar juntas todas las lazadas y cerrar la mota con 1 punto al aire)

Número de puntos al aire muestra divisible por 8 + 1 + 6 puntos al aire de giro. Repetir siempre filas 3 y 4.

## Motas en V

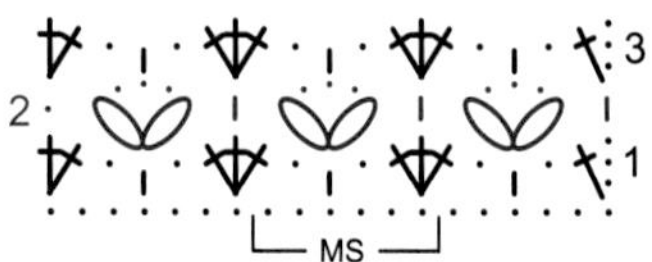


- • = 1 punto al aire
- I = 1 punto bajo
- † = 1 bastoncillo
- = 1 punto borla (1 hebra, sacar 1 lazada larga, * 1 hebra, pinchar en el mismo lugar y sacar 1 lazada, a partir de * repetir × 2, luego pasar juntas todas las lazadas)

Número de puntos al aire muestra divisible por 6 + 1 + 3 puntos al aire de giro. Si los signos se juntan dirigidos hacia abajo, los puntos se tejen en el mismo lugar. Repetir siempre filas 2 y 3.

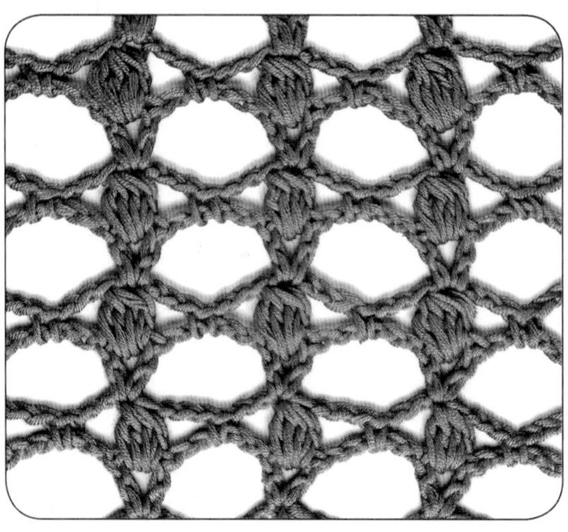

## Enrejado con motas

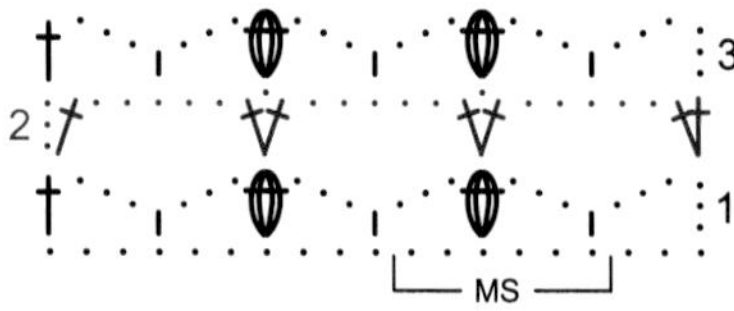


- • = 1 punto al aire
- I = 1 punto bajo
- † = 1 bastoncillo

Número de puntos al aire muestra divisible por 6 + 1 + 6 puntos al aire de giro. Si varios signos se juntan orientados hacia abajo, los puntos se tejen en el mismo lugar. Si están dirigidos juntos hacia arriba, los puntos se cierran juntos. Repetir siempre filas 2 y 3.

## Ondas con motas

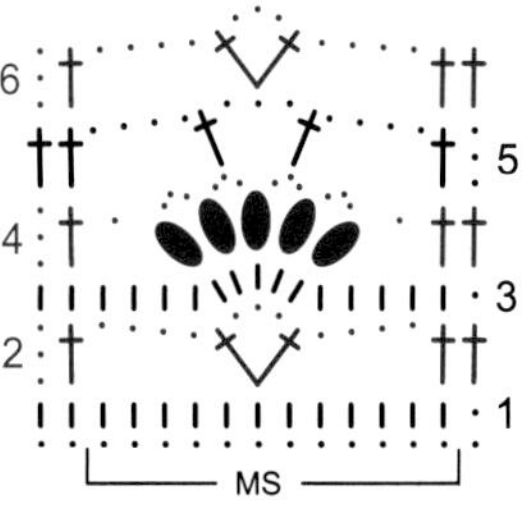

• = 1 punto al aire
I = 1 punto bajo
† = 1 bastoncillo

= 1 punto borla (* sacar 1 lazada larga, 1 hebra, a partir de * repetir × 2, luego pasar juntas todas las lazadas)

Número de puntos al aire muestra divisible por 12 + 3 + 1 puntos al aire de giro. Si los signos se juntan dirigidos hacia abajo, los puntos se tejen juntos en el mismo lugar. Repetir siempre filas 3-6.

## Muestra enrejada

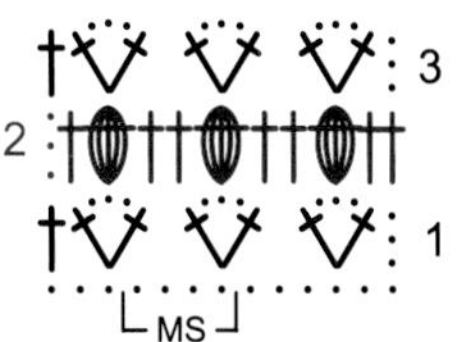

• = 1 punto al aire
† = 1 bastoncillo

= 5 bastoncillos pinchados juntos en el mismo lugar

= 1 bastoncillo, 3 puntos al aire y 1 bastoncillo pinchados en el mismo lugar

Número de puntos al aire muestra divisible por 4 + 1 + 3 puntos al aire de giro. Repetir siempre filas 2 y 3.

## Muestra punteada

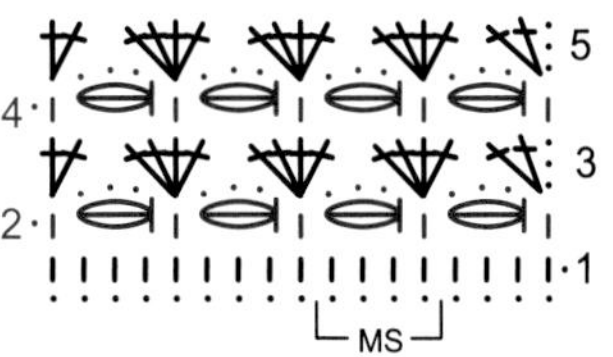

• = 1 punto al aire
I = 1 punto bajo
† = 1 bastoncillo

= 3 bastoncillos pinchados juntos en el mismo lugar

Número de puntos al aire muestra divisible por 4 + 1 + 1 puntos al aire de giro. Si los signos se juntan dirigidos hacia abajo, los puntos se tejen juntos en el mismo lugar. Repetir siempre filas 4 y 5.

# Muestras con conchas

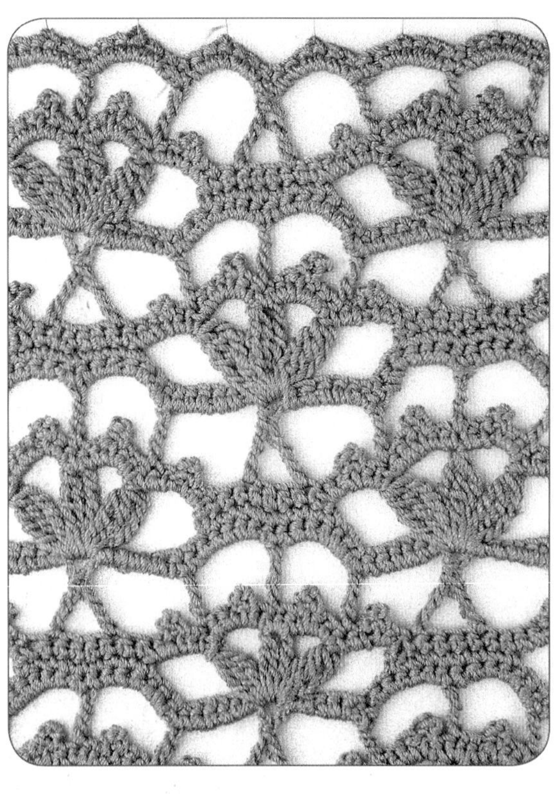

## Coronas grandes

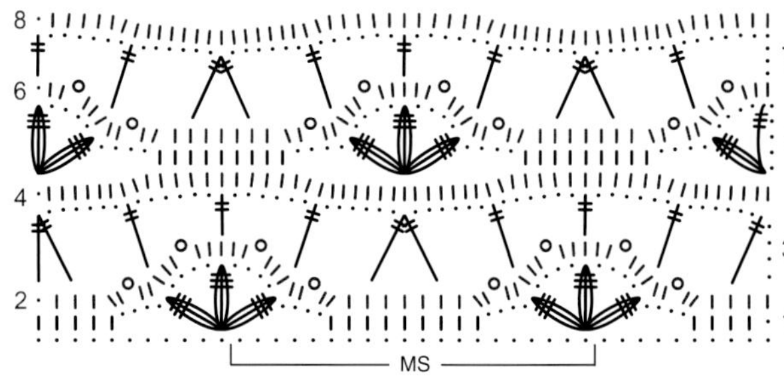


• = 1 punto al aire

I = 1 punto bajo

= 1 bastoncillo doble

= 1 bastoncillo triple

o = 1 piquillo (3 puntos al aire, 1 punto bajo en el 1.er punto al aire)

Número de puntos al aire muestra divisible por 20 + 1 + 1 puntos al aire de giro. Si los signos se juntan dirigidos hacia abajo, tejer los puntos juntos en el mismo lugar. Si se juntan hacia arriba, pasar los puntos. Repetir siempre filas 1-8.

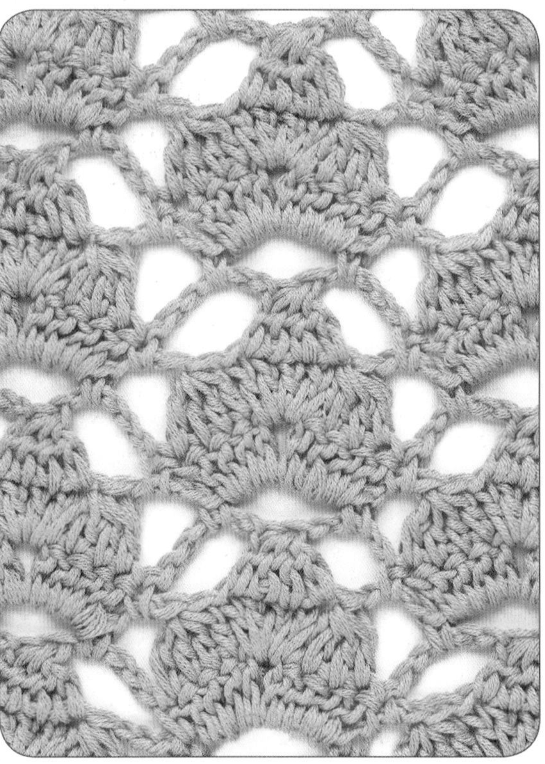

## Muestra con arcos

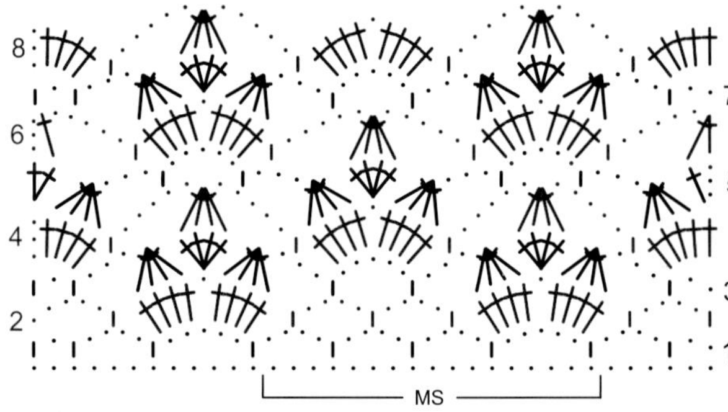


• = 1 punto al aire

I = 1 punto bajo

= 1 bastoncillo

Si los signos se juntan dirigidos hacia abajo, tejerlos juntos en el mismo lugar. Si están dirigidos hacia arriba, los puntos se pasan juntos. Número de puntos al aire muestra divisible por 17 + 1 + 2 puntos al aire de giro. Repetir siempre filas 5-8.

## Plumas de pavo real

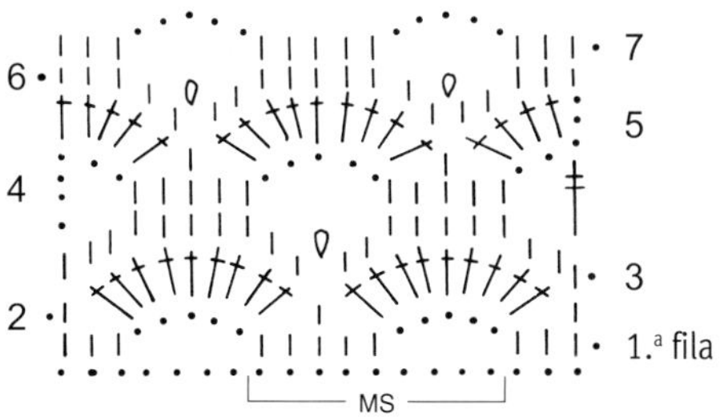


- • = 1 punto al aire
- I = 1 punto bajo
- † = 1 bastoncillo
- 0 = 1 piquillo (3 puntos al aire, 1 punto bajo hacia atrás en el 1.er punto al aire)

Número de puntos al aire muestra divisible por 9 + 1 +1 puntos al aire de giro.
Repetir siempre filas 2-7 y cada 3 filas cambiar de color.

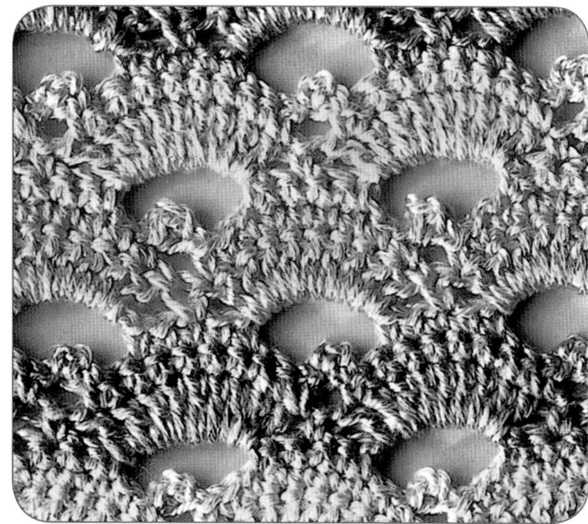

## Ojos de gato

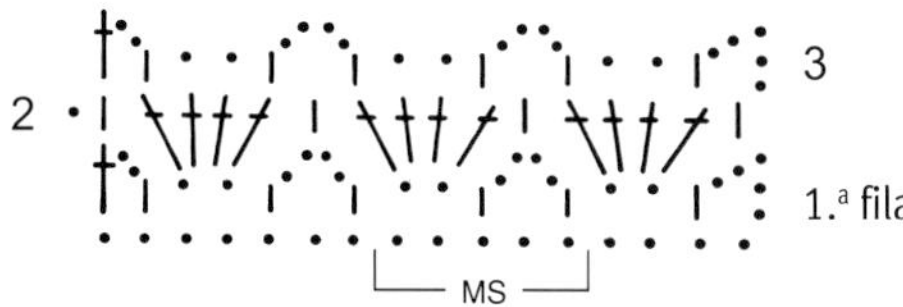


- • = 1 punto al aire
- I = 1 punto bajo
- † = 1 bastoncillo

Número de puntos al aire muestra divisible por 5 + 1 + 5 puntos al aire de giro.
Repetir siempre filas 2 y 3.

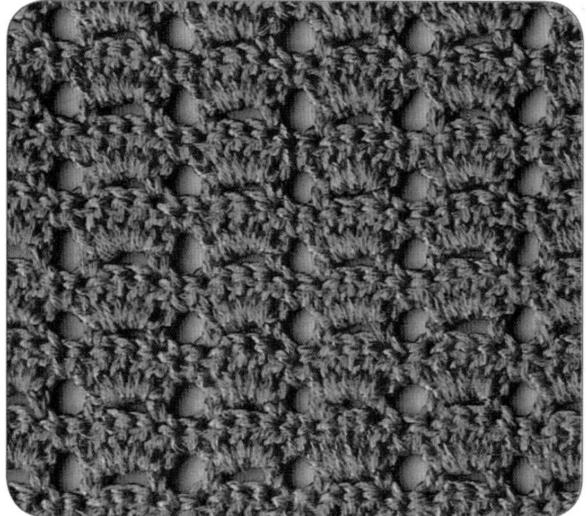

## Abanicos

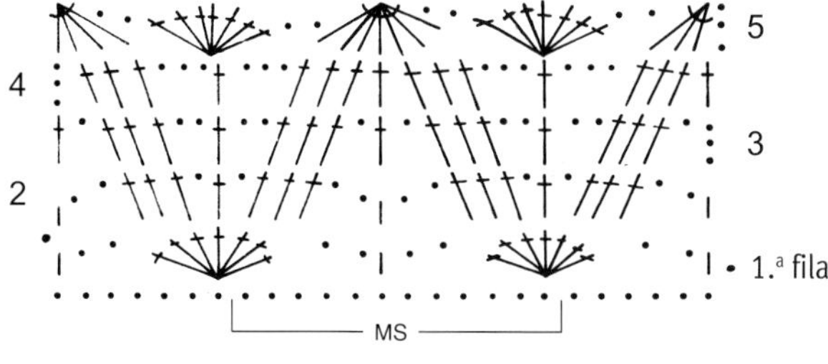


- • = 1 punto al aire
- I = 1 punto bajo
- † = 1 bastoncillo
- = 7 bastoncillos pinchados en el mismo punto
- = 7 bastoncillos cerrados juntos

Número de puntos al aire muestra divisible por 12 + 1 + 1 puntos al aire de giro.
Repetir siempre filas 2-5.

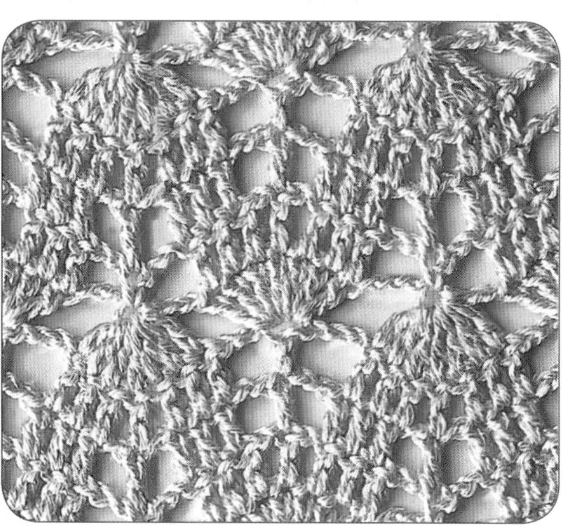

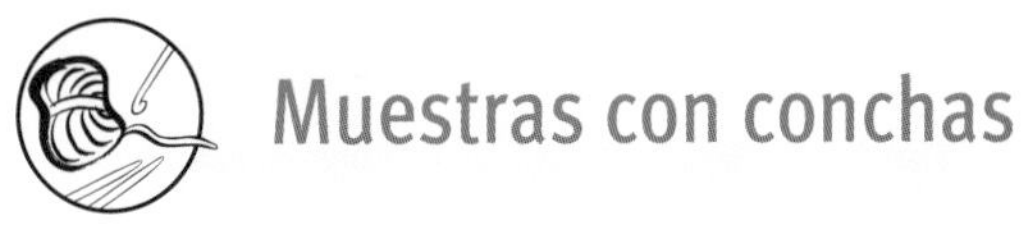

# Muestras con conchas

## Muestra de arcos bicolores

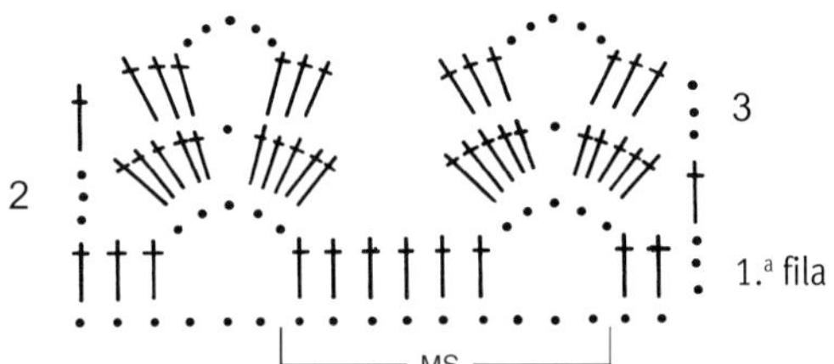


• = 1 punto al aire

† = 1 bastoncillo

Número de puntos al aire muestra divisible por 9 + 8 + 3 puntos al aire de giro. Repetir siempre filas 2 y 3. Cambiar de color en cada fila.

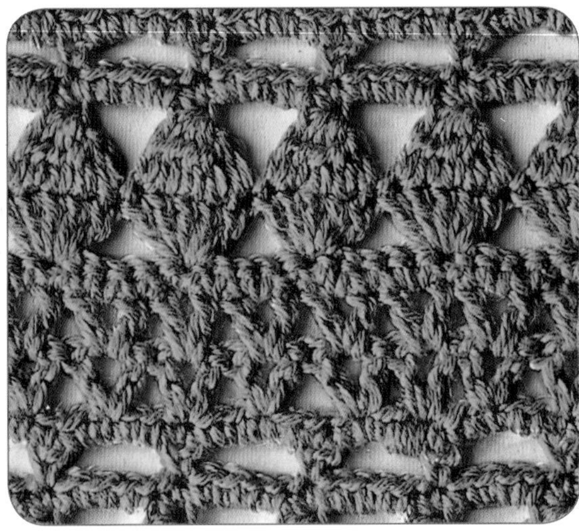

## Muestra para bordes

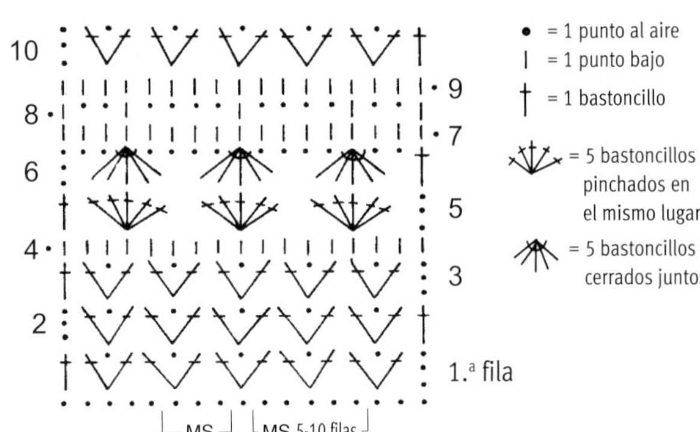


Número de puntos al aire muestra divisible por 10 + 7 + 3 puntos al aire de giro. Repetir siempre filas 3-10.

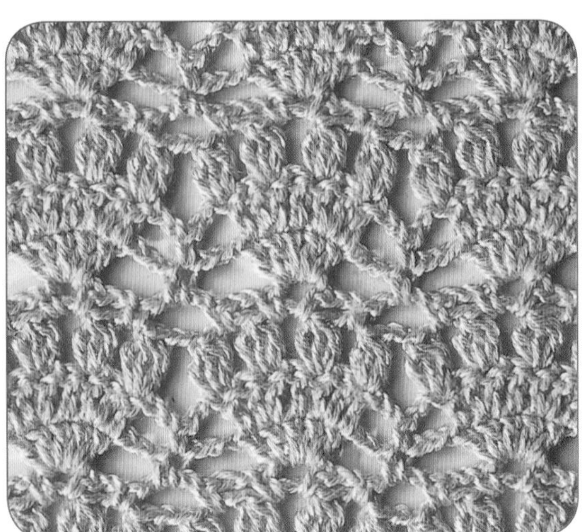

## Copas con flores

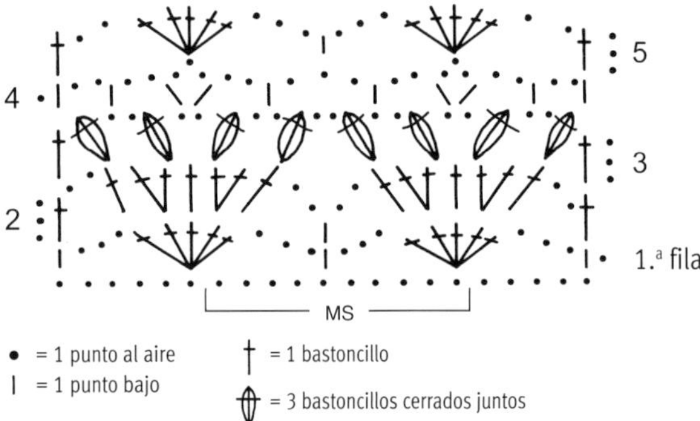


• = 1 punto al aire

| = 1 punto bajo

† = 1 bastoncillo

= 3 bastoncillos cerrados juntos

Si varios signos están dirigidos juntos hacia abajo, los puntos se tejen juntos en el mismo lugar. Número de puntos al aire muestra divisible por 10 + 1 + 1 puntos al aire de giro. Tejer filas 1-5, luego repetir siempre filas 2-5.

## Muestra de la amistad

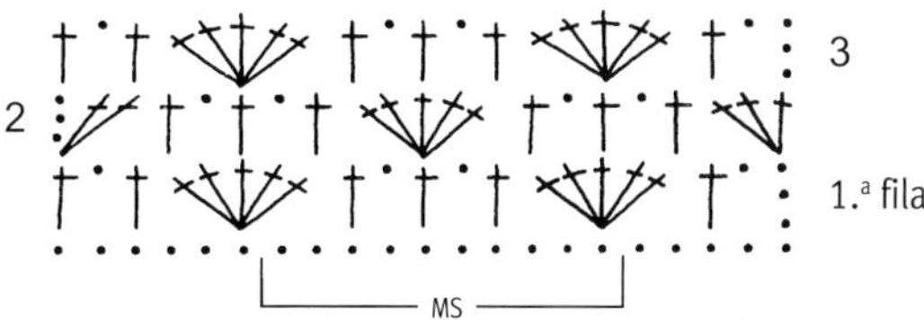


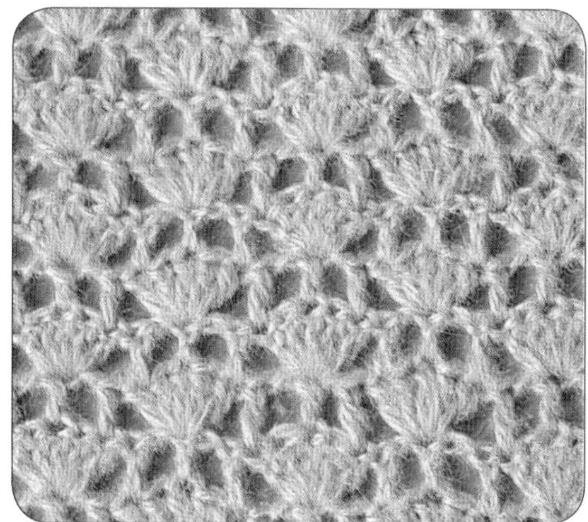

• = 1 punto al aire

† = 1 bastoncillo

= 5 bastoncillos pinchados en el mismo lugar

Número de puntos al aire muestra divisible por 10 + 1 + 4 puntos al aire de giro.
Repetir siempre filas 2 y 3.

## Grupos de conchas en diagonal

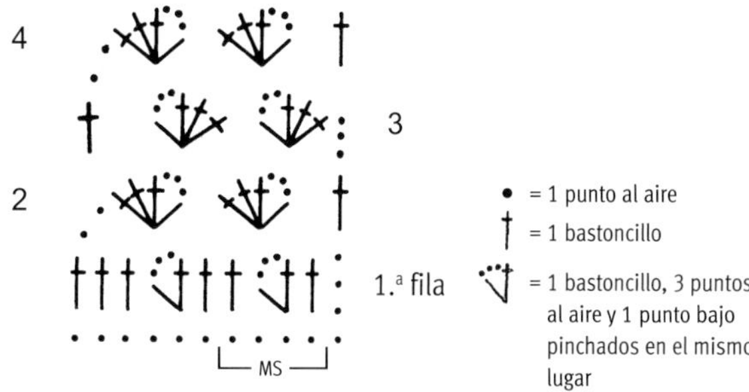


• = 1 punto al aire

† = 1 bastoncillo

= 1 bastoncillo, 3 puntos al aire y 1 punto bajo pinchados en el mismo lugar

= 1 punto bajo, 3 puntos al aire y 3 bastoncillos pinchados en el mismo lugar

= 3 bastoncillos, 3 puntos al aire y 1 punto bajo pinchados en el mismo lugar

Número de puntos al aire muestra divisible por 4 + 3 + 3 puntos al aire de giro.
Repetir siempre filas 3 y 4.

## Conchas encuadradas

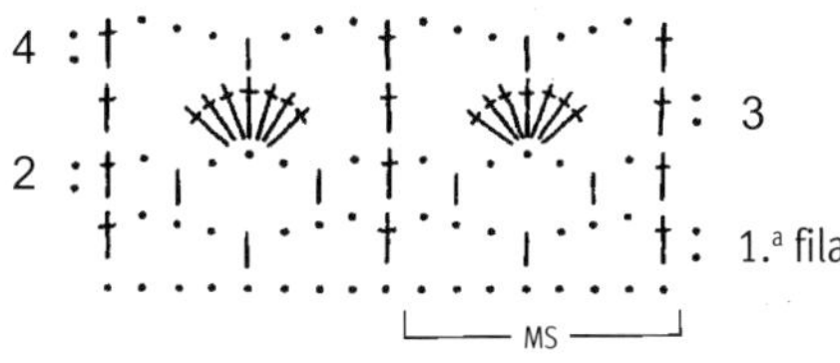

• = 1 punto al aire

| = 1 punto bajo

† = 1 bastoncillo

Número de puntos al aire muestra divisible por 8 + 1 + 2 puntos al aire de giro.
Repetir siempre filas 2-4.

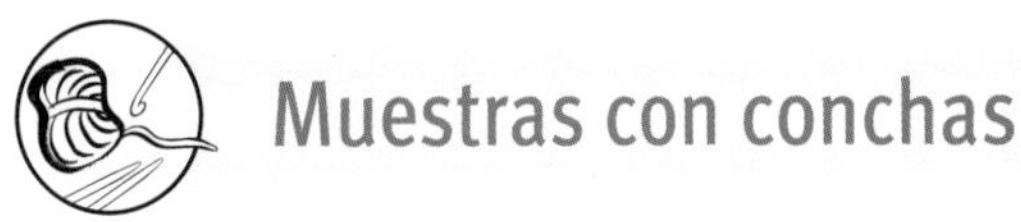

# Muestras con conchas

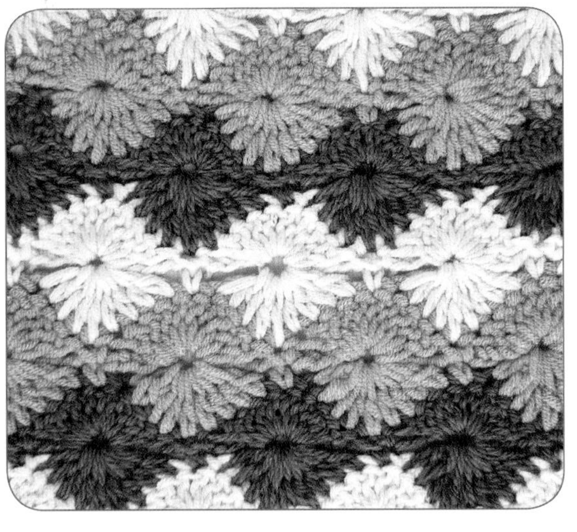

## Conchas multicolores

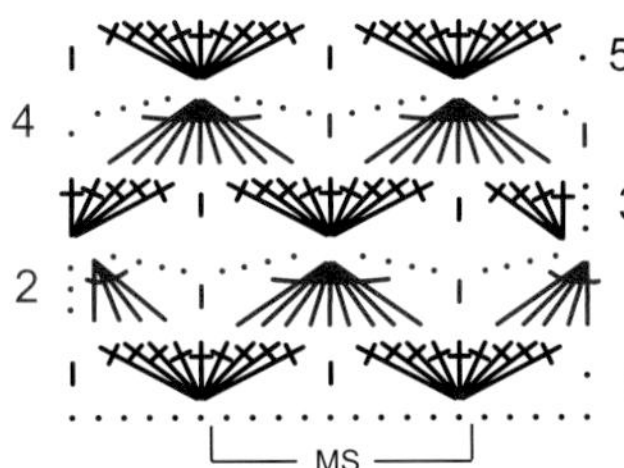

• = 1 punto al aire
I = 1 punto bajo
† = 1 bastoncillo

Si varios de los signos están dirigidos juntos hacia abajo, los puntos se pinchan en el mismo lugar; si están hacia arriba, los puntos se pasan juntos.

Número de puntos al aire muestra divisible por 10 + 1 + 1 puntos al aire de giro. Repetir siempre filas 2-5 y cambiar de color cada 2 filas.

## Muestra ondulada

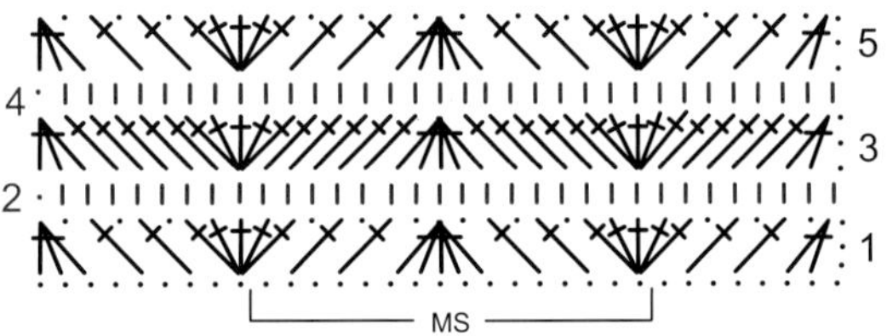

• = 1 punto al aire
I = 1 punto bajo
† = 1 bastoncillo

Si varios de los signos están dirigidos juntos hacia abajo, los puntos se pinchan en el mismo lugar; si están hacia arriba, los puntos se pasan juntos.

Número de puntos al aire muestra divisible por 16 + 1 + 3 puntos al aire de giro. Repetir siempre filas 2-5.

## Perlas

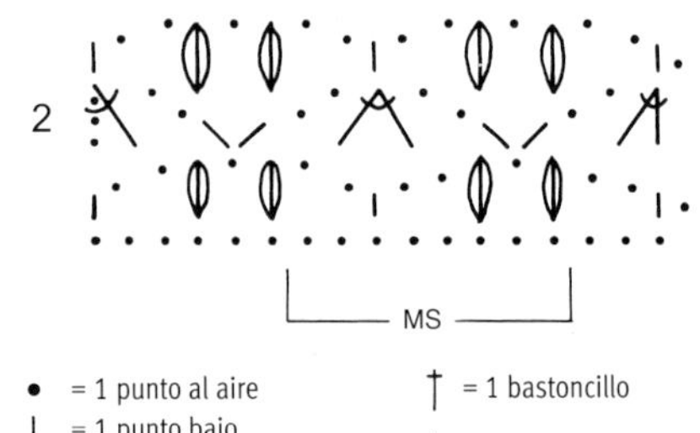

• = 1 punto al aire
I = 1 punto bajo
† = 1 bastoncillo
= 2 puntos cerrados juntos

= 1 punto borla (* hebra, sacar hebra algo larga, a partir de * repetir 2 veces, poner todas las hebras del mismo largo, sacar hebra y pasarla por todas las lazadas)

Número de puntos al aire muestra divisible por 8 + 1 + 1 puntos al aire de giro. Repetir siempre puntos 2 y 3.

## Claveles primaverales

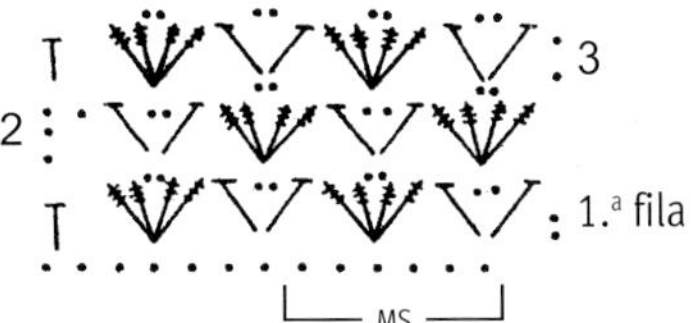


• = 1 punto al aire
= 1 medio bastoncillo

= 1 medio bastoncillo, 2 puntos al aire y 1 medio bastoncillo pinchados en el mismo lugar

 = 2 bastoncillos triples, 2 puntos al aire y 2 bastoncillos triples pinchados en el mismo lugar

Número de puntos al aire muestra divisible por 6 + 1 + 2 puntos al aire de giro.
Repetir filas 2 y 3.

## Alternancia de hojas

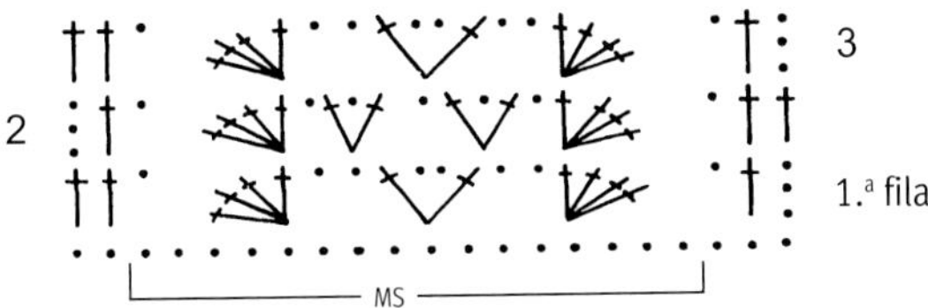


• = 1 punto al aire
= 1 bastoncillo

= 1 bastoncillo, 2 puntos al aire y 1 bastoncillo pinchados en el mismo lugar

= 1 bastoncillo, 1 punto al aire y 1 bastoncillo pinchados en el mismo lugar

= 4 bastoncillos pinchados en el mismo lugar

Número de puntos al aire muestra divisible por 16 + 5 + 3 puntos al aire de giro.
Repetir siempre filas 2 y 3.

## Pequeñas arcadas

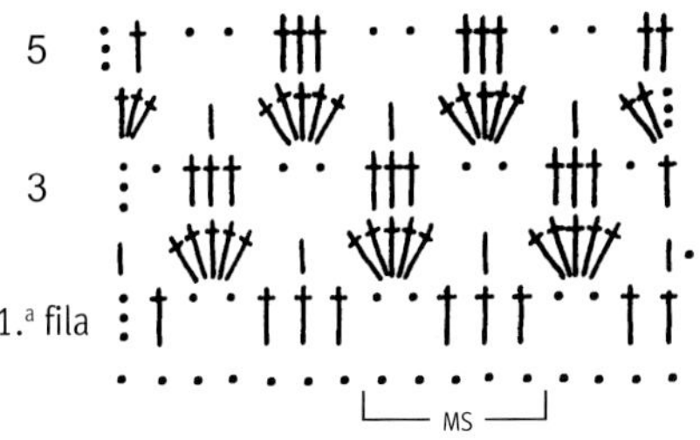


• = 1 punto al aire
| = 1 punto bajo
= 1 bastoncillo

Número de puntos al aire muestra divisible por 5 + 1 + 3 puntos al aire de giro.
Repetir siempre filas 2-5.

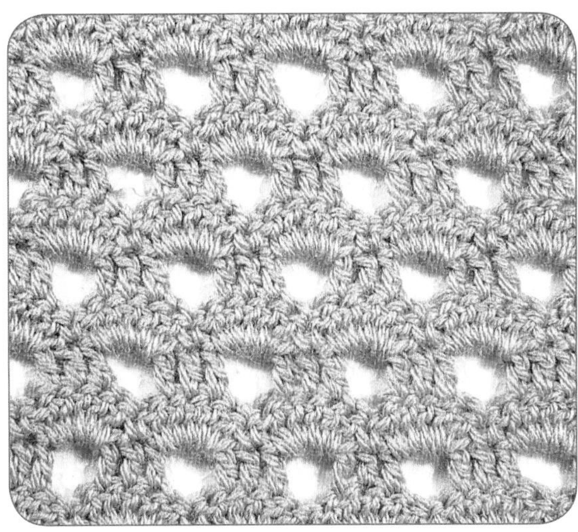

# Muestras con conchas

## Ondas con piquillos

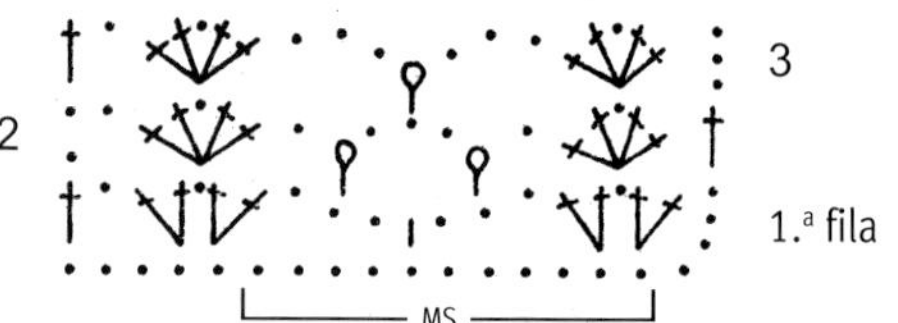


- • = 1 punto al aire
- | = 1 punto bajo
- † = 1 bastoncillo
- = 1 punto bajo y 1 piquillo (3 puntos al aire, 1 punto bajo en el 1.er punto al aire)
- = 2 bastoncillos pinchados en el mismo lugar
- = 2 bastoncillos, 1 punto al aire y 2 bastoncillos pinchados en el mismo lugar

Número de puntos al aire muestra divisible por 11 + 6 + 3 puntos al aire de giro. Repetir siempre filas 2 y 3.

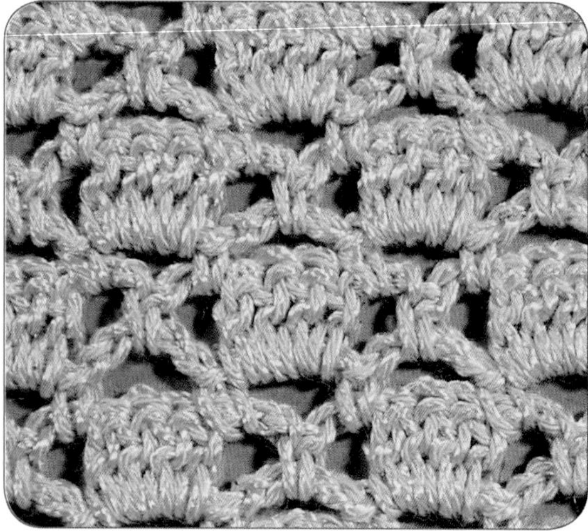

## Rombos con conchas

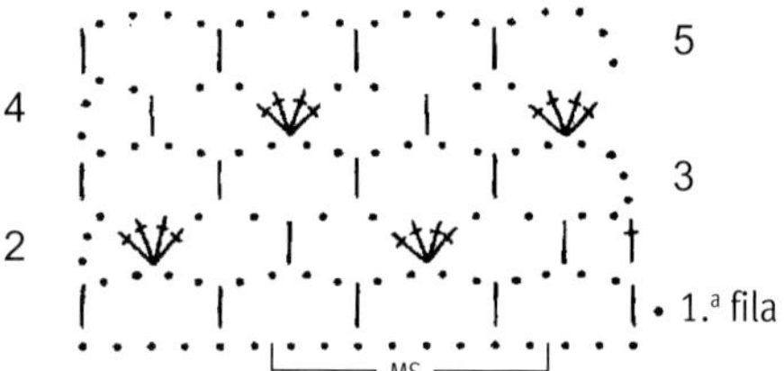


- • = 1 punto al aire
- | = 1 punto bajo
- † = 1 bastoncillo

Si los signos están dirigidos juntos hacia abajo, pinchar los puntos en el mismo lugar. Número de puntos al aire muestra divisible por 8 + 1 + 1 puntos al aire de giro. Repetir siempre filas 2-5.

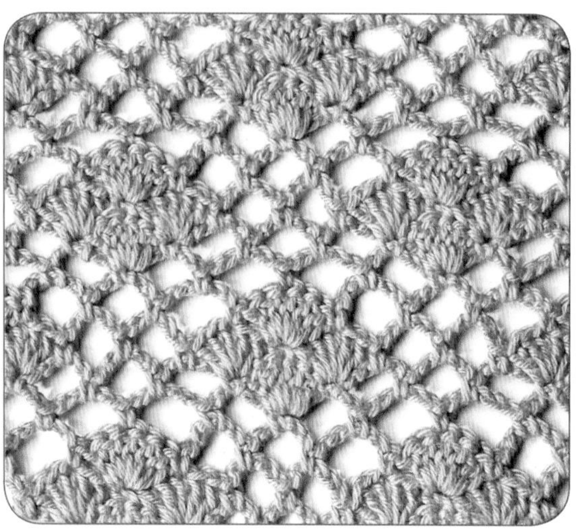

## Ramilletes

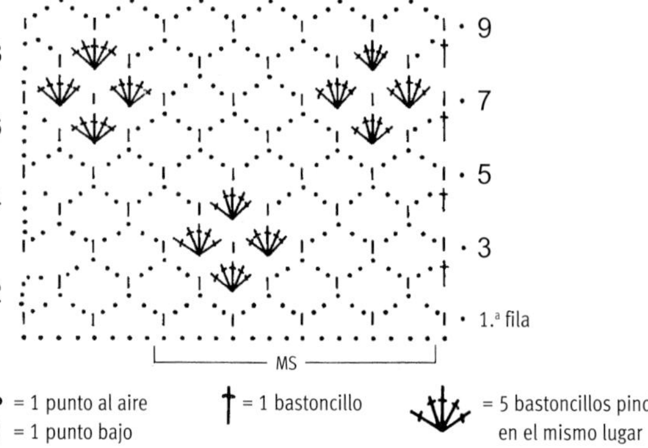


- • = 1 punto al aire
- | = 1 punto bajo
- † = 1 bastoncillo
- = 5 bastoncillos pinchados en el mismo lugar

Número de puntos al aire muestra divisible por 16 + 9 + 1 puntos al aire de giro. Repetir siempre filas 2-9.

## Plumas de pavo

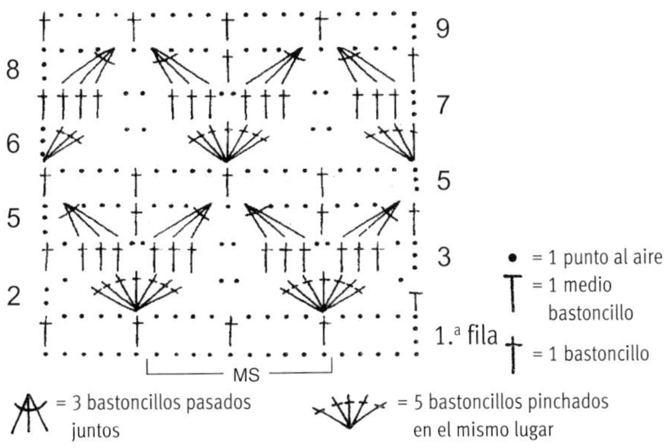


Número de puntos al aire muestra divisible por 10 + 1 + 7 puntos al aire de giro.
Repetir siempre filas 2-9.

## Muestra de conchas en zigzag

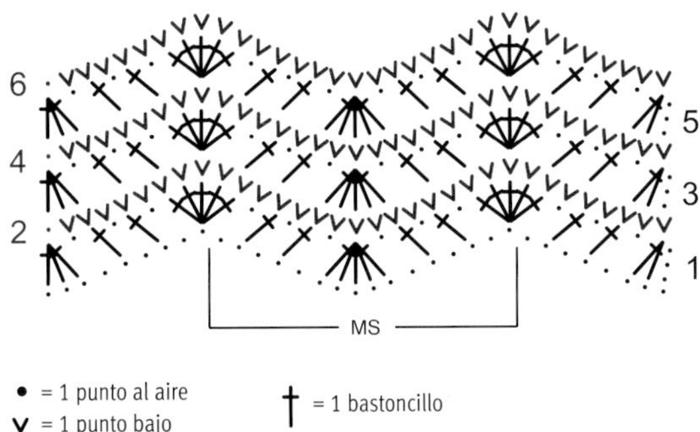

Si los signos están orientados hacia abajo, pinchar los puntos en el mismo lugar; si se dirigen hacia arriba, los puntos se pasan juntos.
Número de puntos al aire muestra divisible por 16 + 1 + 3 puntos al aire de giro.
Repetir siempre filas 5 y 6.

## Muestra con borlas

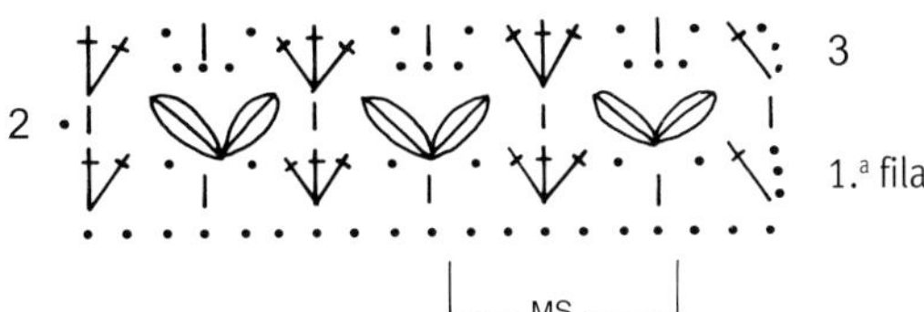


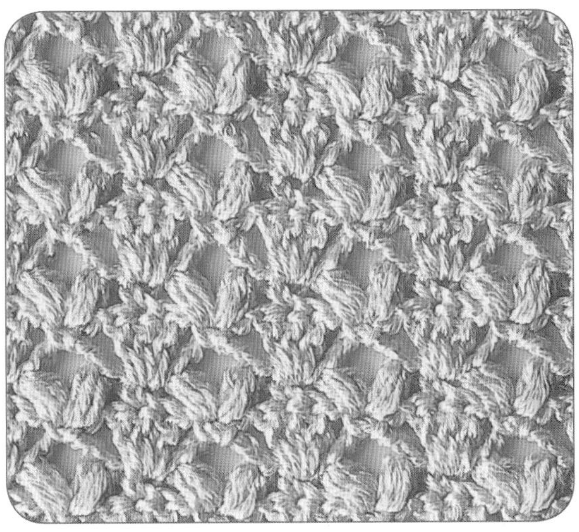

- = 1 punto al aire
- = 1 punto bajo
- = 1 bastoncillo
- = 3 bastoncillos pinchados en el mismo lugar
- = 1 punto borla (1 hebra y tirar del hilo para que quede un poco largo, 1 hebra, tirar del hilo, poner todas las lazadas del mismo largo, tirar del hilo y pasarlo por todas las lazadas)

Número de puntos al aire muestra divisible por 6 + 1 + 3 puntos al aire de giro.
Repetir siempre filas 2 y 3.

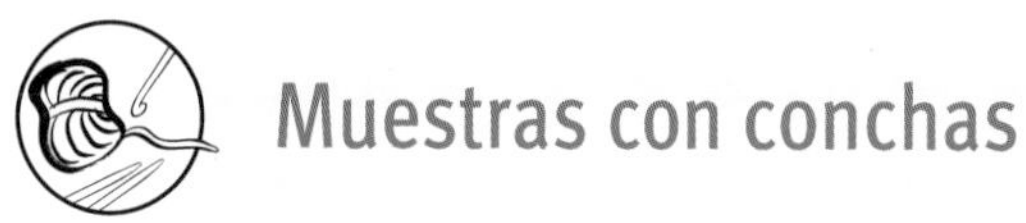

# Muestras con conchas

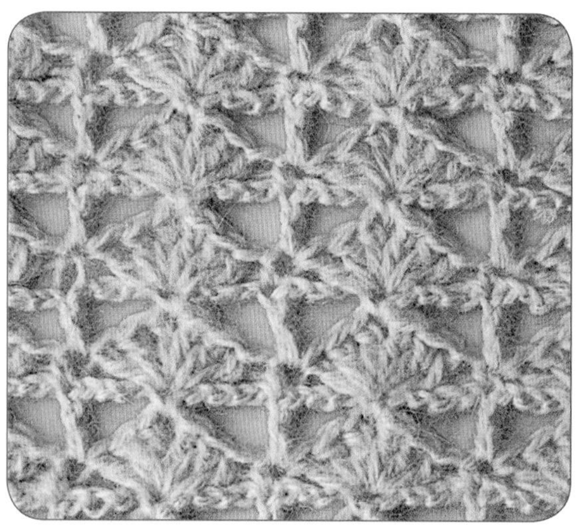

## Muestra griega

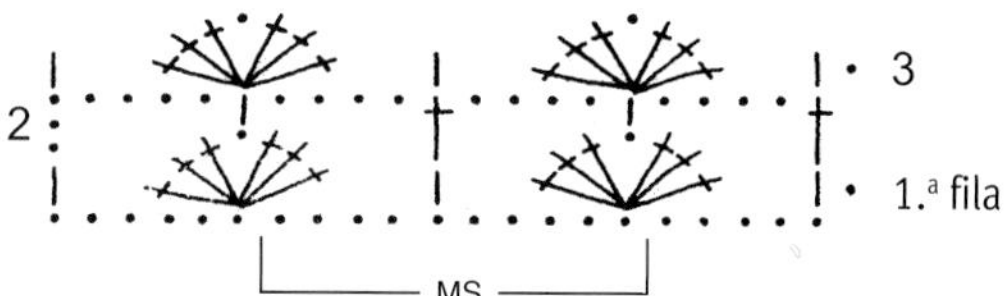


- • = 1 punto al aire
- I = 1 punto bajo
- † = 1 bastoncillo
- = 3 bastoncillos, 1 punto al aire y 3 bastoncillos pinchados juntos en el mismo lugar

Número de puntos al aire muestra divisible por 10 + 1 + 1 puntos al aire de giro.
Repetir siempre filas 2 y 3.

## Grupitos de conchas

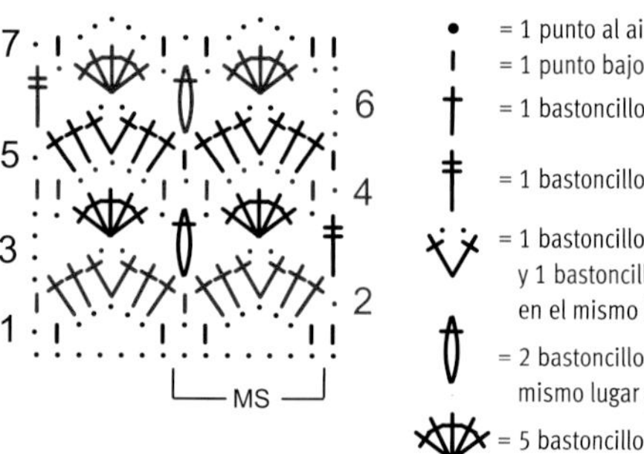


- • = 1 punto al aire
- I = 1 punto bajo
- † = 1 bastoncillo
- = 1 bastoncillo doble
- = 1 bastoncillo, 2 puntos al aire y 1 bastoncillo pinchados en el mismo lugar
- = 2 bastoncillos pinchados en el mismo lugar y pasados juntos
- = 5 bastoncillos pinchados en el mismo lugar

Número de puntos al aire muestra divisible por 7 + 1 + 1 puntos al aire de giro.
Repetir siempre filas 2-7.

## Muestra Barcelona

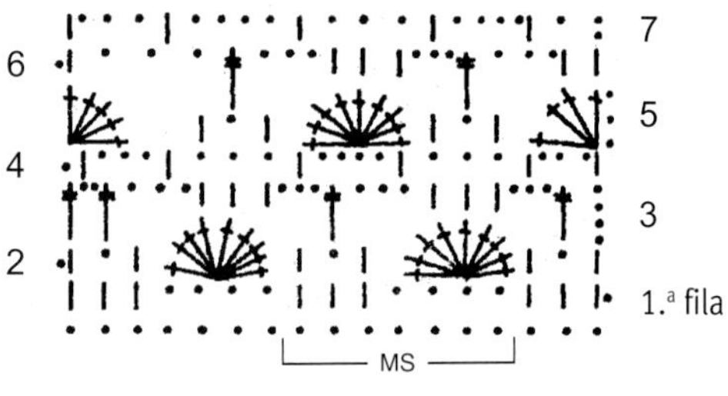


- • = 1 punto al aire
- I = 1 punto bajo
- = 1 bastoncillo doble
- = 9 bastoncillos alrededor del arco de puntos al aire de la fila anterior

Número de puntos al aire muestra divisible por 7 + 3 + 1 puntos al aire de giro.
Repetir siempre filas 2-7.

## Abanicos

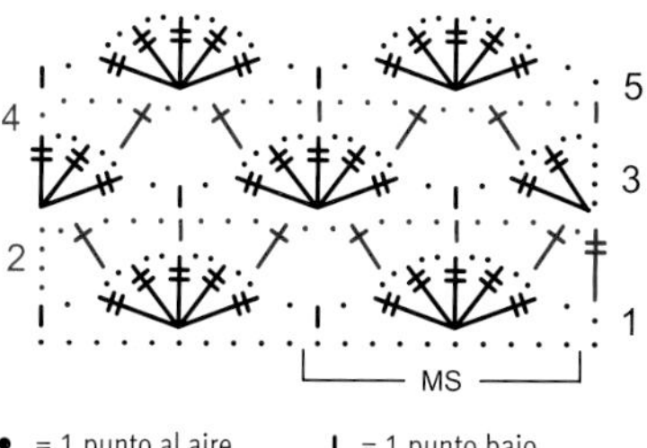


• = 1 punto al aire
I = 1 punto bajo
† = 1 bastoncillo
‡ = 1 bastoncillo doble

Si varios signos están dirigidos juntos hacia abajo, pinchar los puntos en el mismo lugar.
Número de puntos al aire muestra divisible por 10 + 1 + 2 puntos al aire de giro.
Repetir siempre filas 2-5.

## Alitas

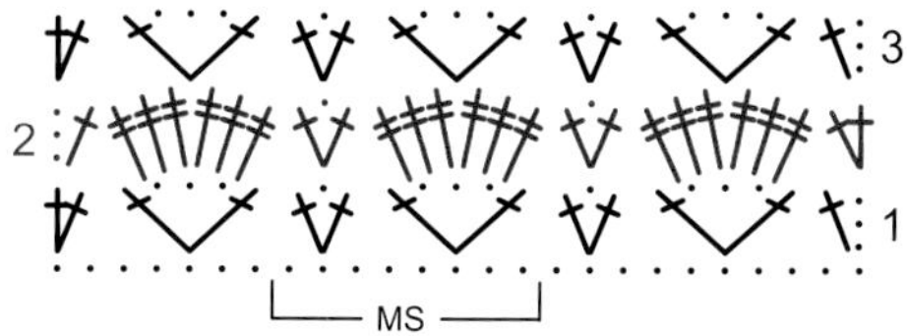

• = 1 punto al aire
† = 1 bastoncillo
‡ = 1 bastoncillo doble

Si varios signos están dirigidos juntos hacia abajo, tejer los puntos en el mismo lugar.
Número de puntos al aire muestra divisible por 8 + 1 + 3 puntos al aire de giro.
Repetir siempre filas 2 y 3.

## Mariposas

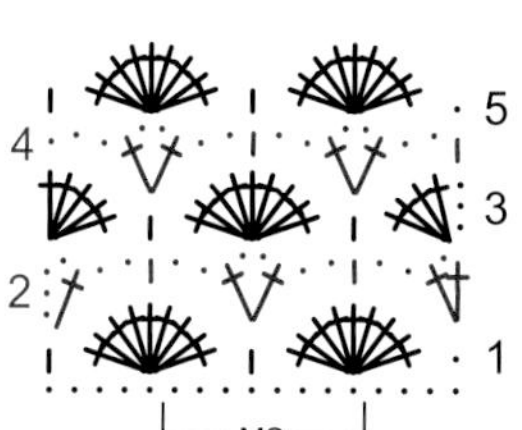


• = 1 punto al aire
I = 1 punto bajo
† = 1 bastoncillo

Si varios signos están orientados hacia abajo, los puntos se pinchan en el mismo lugar.
Número de puntos al aire muestra divisible por 8 + 1 + 1 puntos al aire de giro.
Repetir siempre filas 2-5.

# Muestras con conchas

## Margaritas

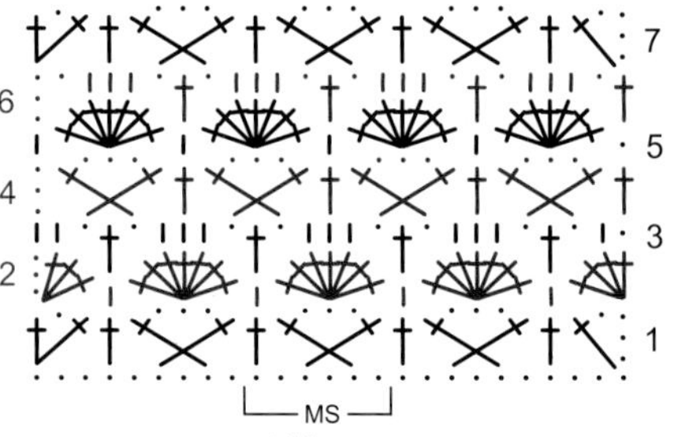


• = 1 punto al aire

I = 1 punto bajo

† = 1 bastoncillo

= 7 bastoncillos pinchados en el mismo lugar

= 1 bastoncillo en el 4.º punto siguiente de la fila anterior, 3 puntos al aire, 1 bastoncillo en el 2.º punto pasado por encima

Número de puntos al aire muestra divisible por 6 + 1 + 4 puntos al aire de giro. Repetir siempre filas 2-7.

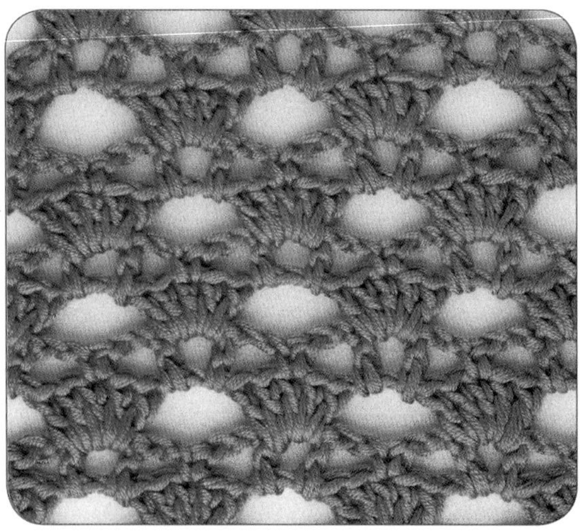

## Florecitas

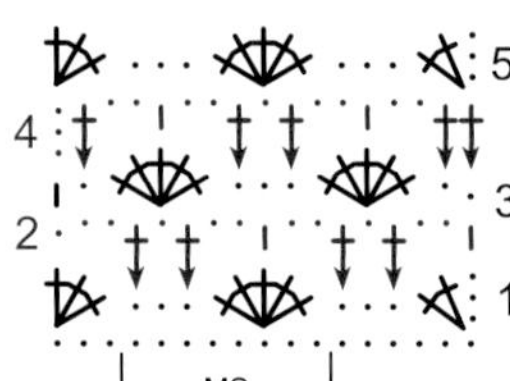


• = 1 punto al aire

I = 1 punto bajo

† = 1 bastoncillo

= 1 bastoncillo tejido alrededor del correspondiente punto al aire de la siguiente fila

Si varios puntos juntos están dirigidos hacia abajo, tejer los puntos en el mismo lugar. Número de puntos al aire muestra divisible por 8 + 1 + 3 puntos al aire de giro. Repetir siempre filas 2-5.

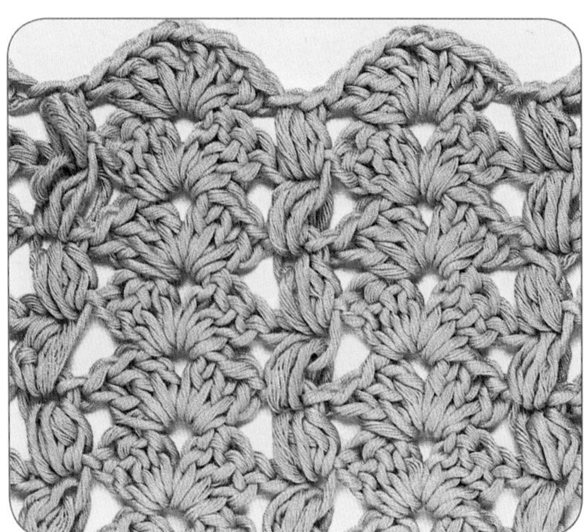

## Coronas

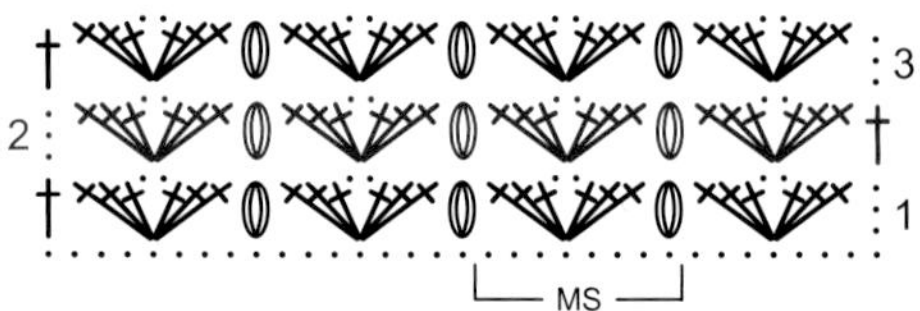


• = 1 punto al aire

† = 1 bastoncillo

= 3 bastoncillos, 2 puntos al aire, 3 bastoncillos pinchados en el mismo lugar

= punto borla (* 1 hebra, sacar 1 lazada, a partir de * repetir × 2, luego pasar juntas todas las lazadas, 1 punto al aire)

Número de puntos al aire muestra divisible por 8 + 1 + 3 puntos al aire de giro. Repetir siempre filas 2 y 3.

## Muestra con flores

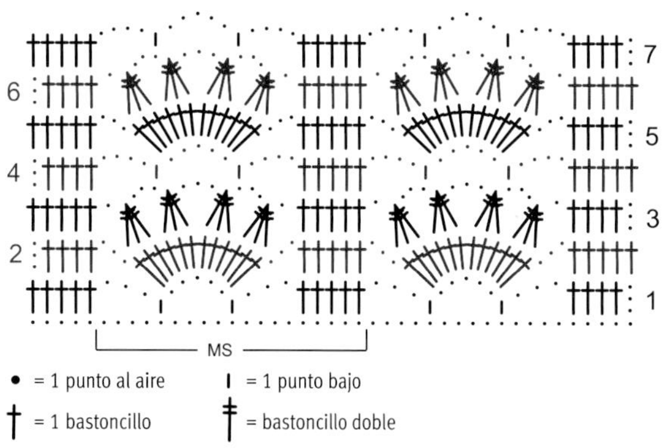


• = 1 punto al aire
I = 1 punto bajo
† = 1 bastoncillo
‡ = bastoncillo doble

Si varios signos juntos están dirigidos hacia arriba, los puntos se pasan juntos. Número de puntos al aire muestra divisible por 19 + 5 + 3 puntos al aire de giro. Repetir siempre filas 2-7.

## Muestra con capullos

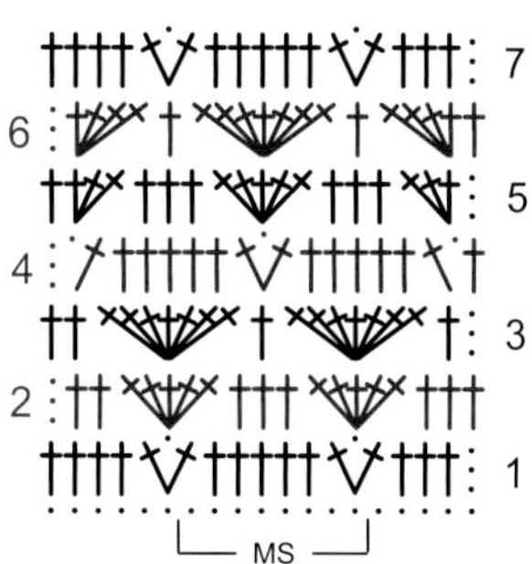


• = 1 punto al aire
† = 1 bastoncillo

Si varios signos juntos están dirigidos hacia abajo, los puntos se tejen en el mismo lugar. Número de puntos al aire muestra divisible por 8 + 3 + 3 puntos al aire de giro. Repetir siempre filas 2-7.

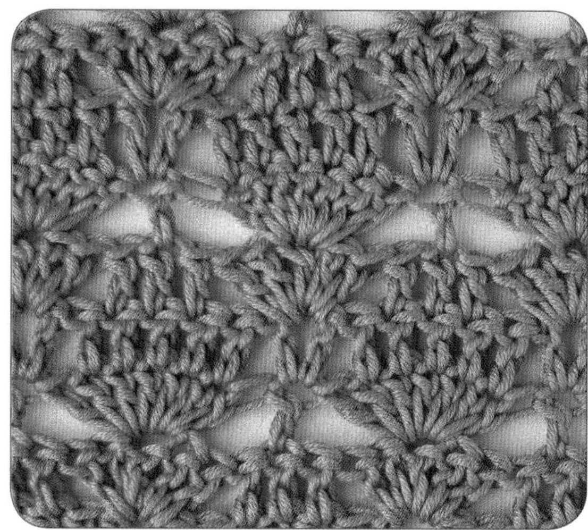

## Arañas

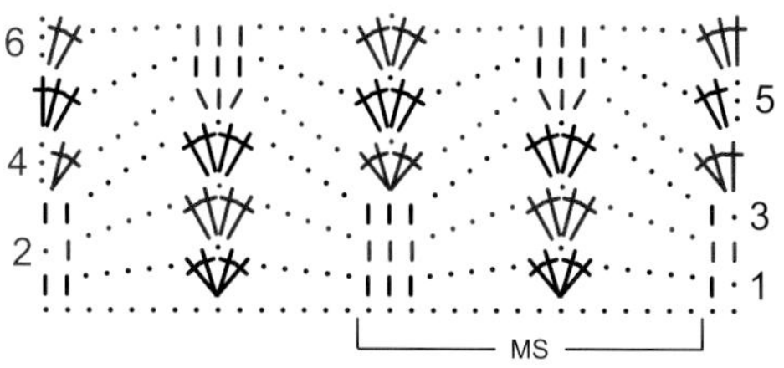


• = 1 punto al aire
I = 1 punto bajo
† = 1 bastoncillo

Si varios signos están juntos dirigidos hacia abajo, tejer los puntos en el mismo lugar. Número de puntos al aire muestra divisible por 16 + 1 + 1 puntos al aire de giro. Repetir siempre filas 1-6.

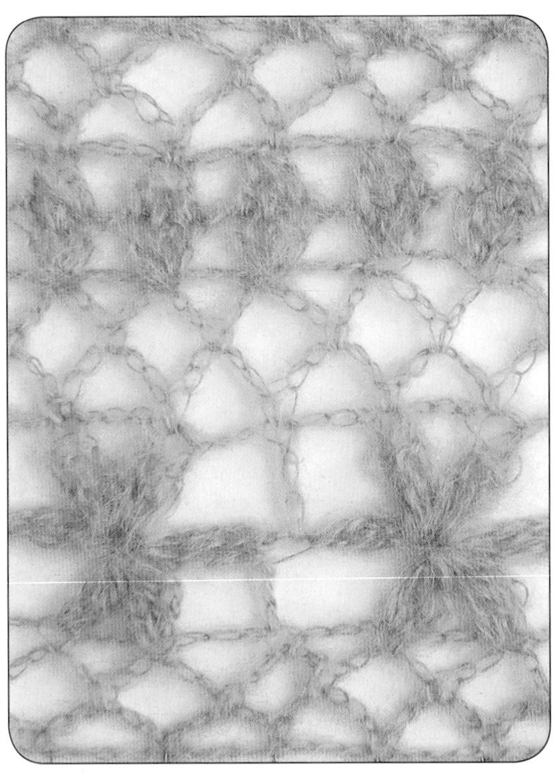

## Rayas floreadas

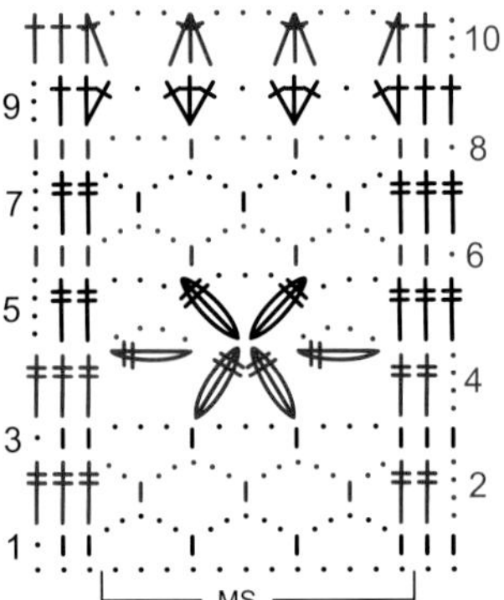

- • = 1 punto al aire
- I = 1 punto bajo
- † = 1 bastoncillo
- ǂ = 1 bastoncillo doble

Si varios signos están juntos dirigidos hacia abajo, tejer los puntos en el mismo lugar. Si se dirigen juntos hacia arriba, pasarlos juntos.
Número de puntos al aire muestra divisible por 12 + 5 + 1 puntos al aire de giro.
Comenzar con los puntos anteriores al grupo de puntos de muestra, repetir siempre la muestra, terminar con los puntos posteriores a la muestra.
Repetir siempre filas 1-10.

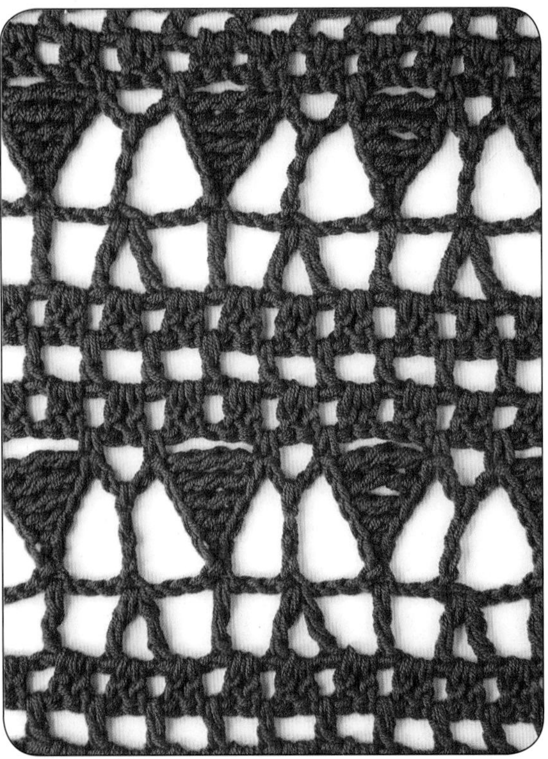

## Triángulos

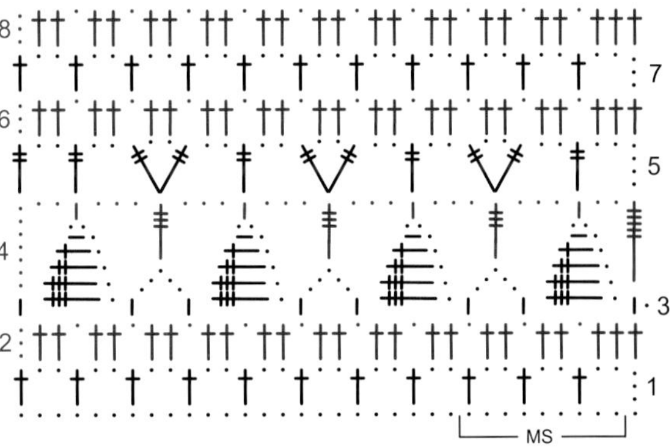

- • = 1 punto al aire
- I = 1 punto bajo
- † = 1 bastoncillo
- ǂ = 1 bastoncillo doble
- = 1 bastoncillo triple
- = 1 bastoncillo quíntuple

Si varios bastoncillos juntos están dirigidos hacia abajo, tejer los puntos en el mismo lugar. Número de puntos al aire muestra divisible por 9 + 7 + 5 puntos al aire de giro. Comenzar con los puntos anteriores al grupo de puntos muestra y repetir siempre este último. Terminar con los puntos posteriores al grupo de puntos muestra. Repetir siempre filas 3-8.

## Pagodas

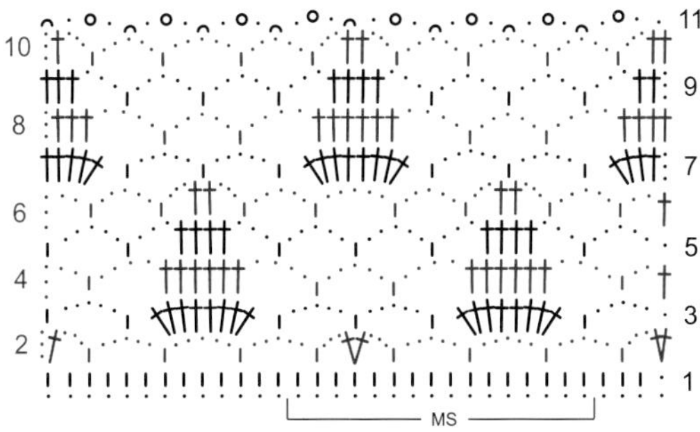


• = 1 punto al aire ⌒ = 1 punto cadeneta I = 1 punto bajo

† = 1 bastoncillo ° = 1 piquillo (3 puntos al aire, 1 punto bajo en el 1.$^{er}$ punto al aire)

Número de puntos al aire muestra divisible por 16 + 1 + 1 puntos al aire de giro. Repetir siempre filas 3-10, y para terminar tejer la fila 11.

## Puntos dobles

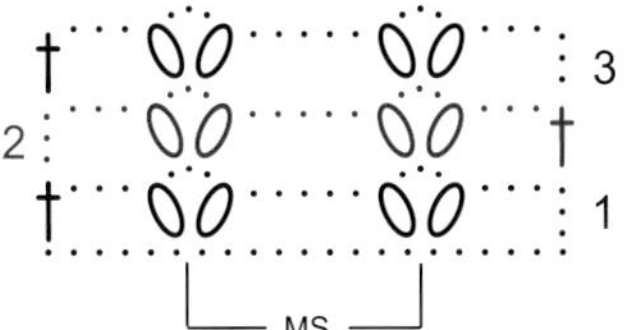

• = 1 punto al aire

† = 1 bastoncillo

0 = 1 punto borla (* 1 hebra, sacar 1 lazada larga, a partir de * repetir 3 veces, pasar juntas todas las lazadas que se encuentran en la aguja)

Número de puntos al aire muestra divisible por 9 + 3 + 6 puntos al aire de giro. Repetir siempre filas 2 y 3.

## Ventanitas

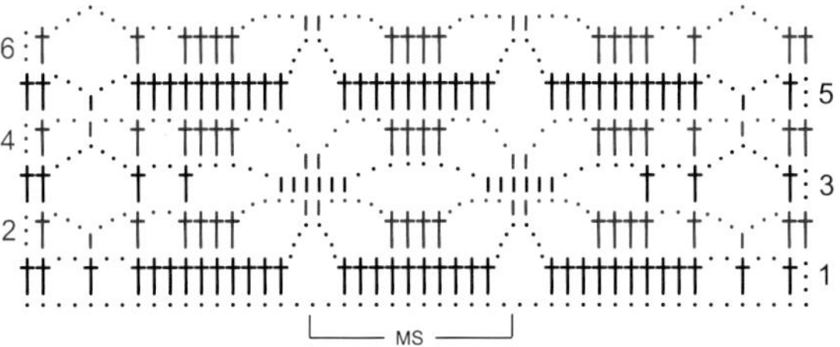

• = 1 punto al aire

I = 1 punto bajo

† = 1 bastoncillo

Número de puntos al aire muestra divisible por 13 + 11 + 3 puntos al aire de giro. Repetir siempre filas 3-6.

# Muestras caladas

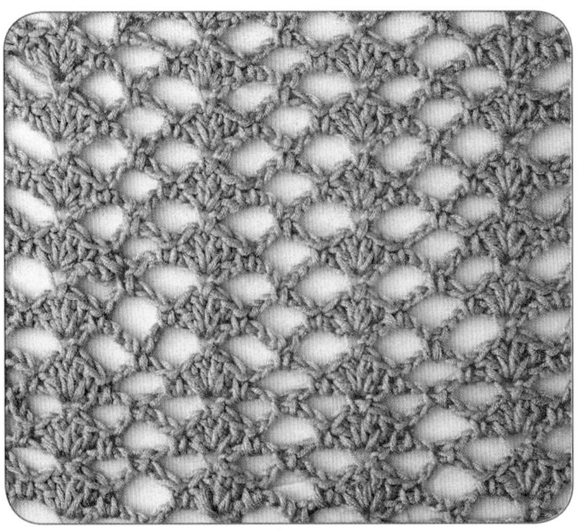

## Muestra veraniega

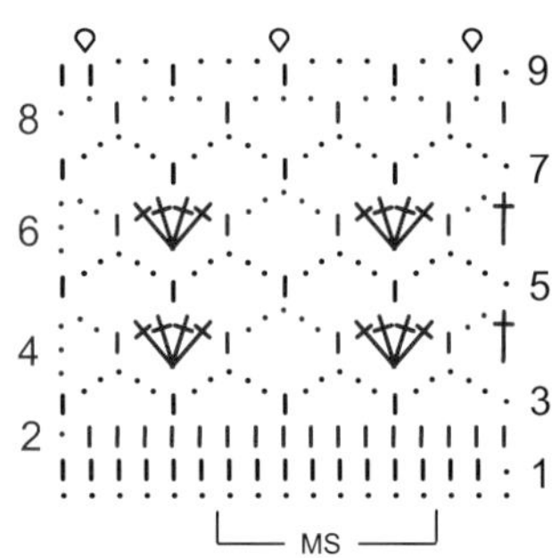


• = 1 punto al aire
I = 1 punto bajo
† = 1 bastoncillo
= 4 bastoncillos pinchados en el mismo lugar
= piquillo (3 puntos al aire, 1 punto bajo en el 1.^er^ punto al aire)

Número de puntos al aire muestra divisible por 8 + 1 + 1 puntos al aire de giro.
Repetir siempre filas 5 y 6; para terminar, tejer filas 7-9.

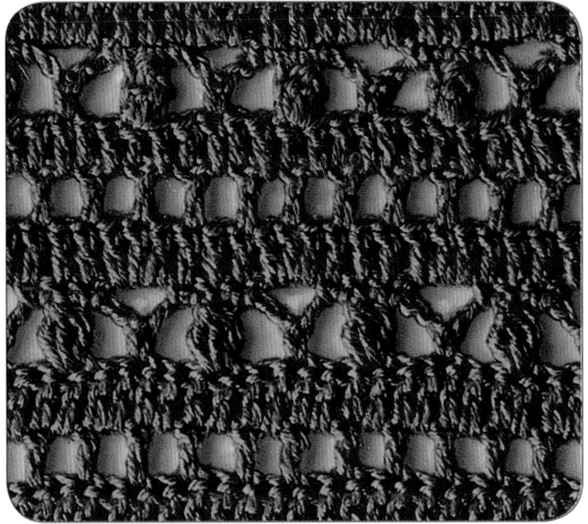

## Muestra a rayas

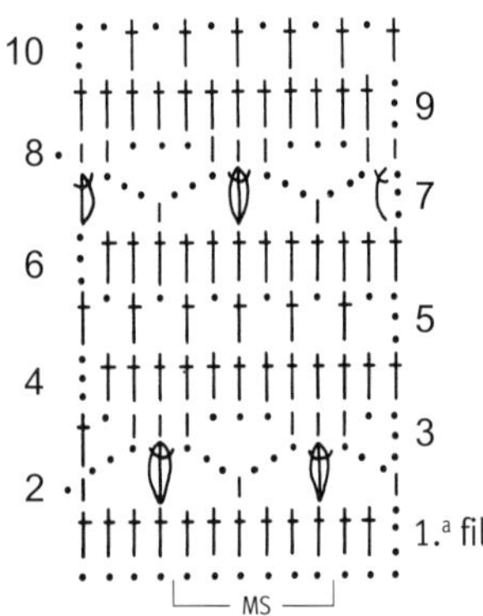


• = 1 punto al aire
I = 1 punto bajo
† = 1 bastoncillo
= 3 bastoncillos pasados juntos
= 2 bastoncillos pasados juntos

Número de puntos al aire muestra divisible por 6 + 1 + 3 puntos al aire de giro.
Repetir siempre filas 1-10.

## Tiras de estrellitas

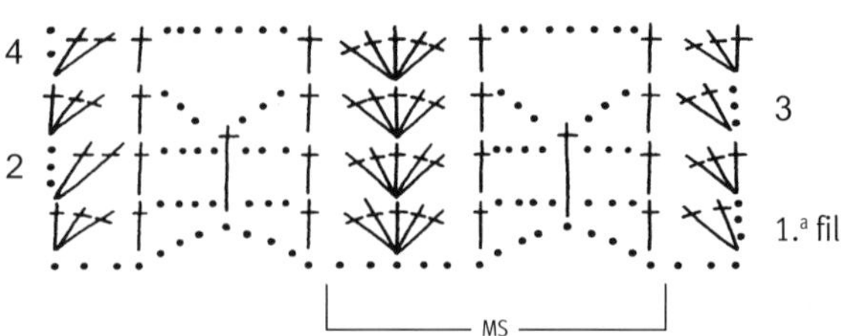


• = 1 punto al aire
† = 1 bastoncillo
= 5 bastoncillos pinchados en el mismo lugar

Número de puntos al aire muestra divisible por 14 + 1 + 3 puntos al aire de giro.
Repetir siempre filas 1-4.

## Arcos alineados

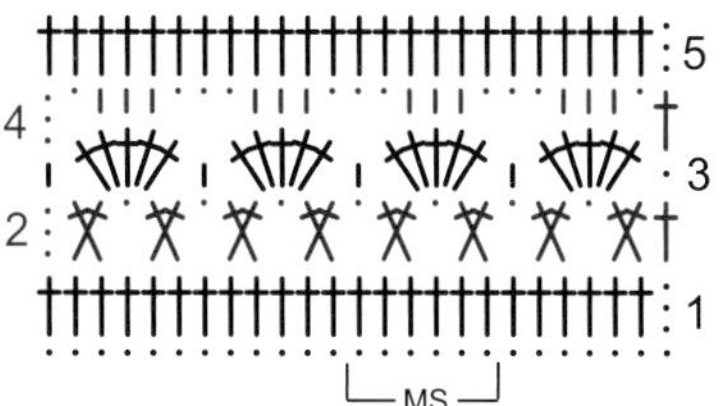


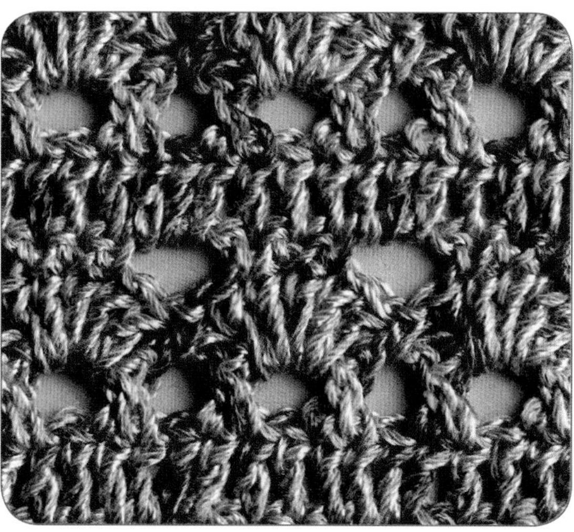

- • = 1 punto al aire
- I = 1 punto bajo
- † = 1 bastoncillo
- ✗ = 2 bastoncillos cruzados (pasar por encima 1 punto, 1 bastoncillo, 1 bastoncillo en el punto pasado por encima)

Número de puntos al aire muestra divisible por 6 + 1 + 3 puntos al aire de giro.
Repetir siempre filas 2-5.

## Lirios de mayo

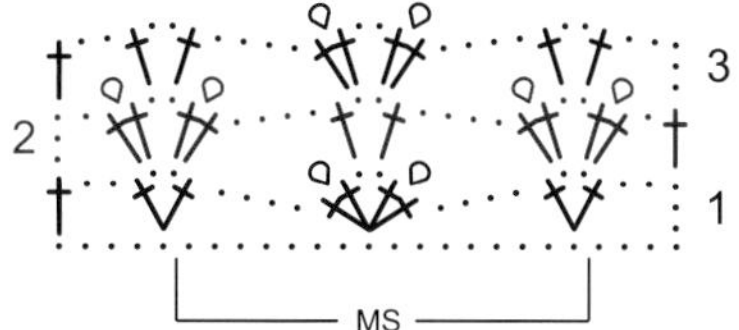


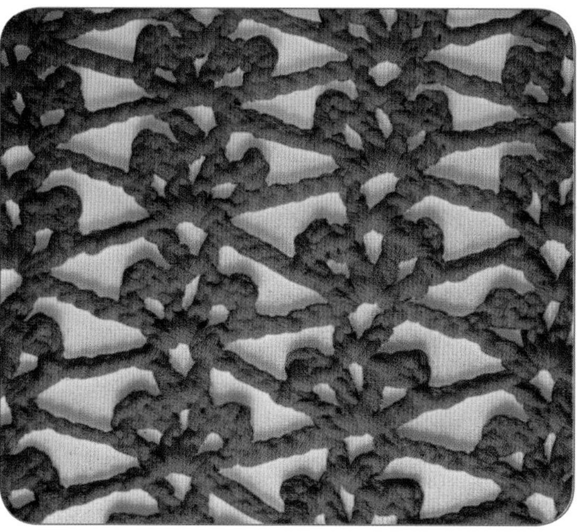

- • = 1 punto al aire
- † = 1 bastoncillo
- ○ = 1 piquillo (3 puntos al aire, 1 punto bajo en el 1.er punto al aire)

Si los signos juntos están dirigidos hacia abajo, los puntos se trabajan en el mismo lugar.
Número de puntos al aire muestra divisible por 16 + 9 + 5 puntos al aire de giro.
Repetir siempre filas 2 y 3.

## Pirámides

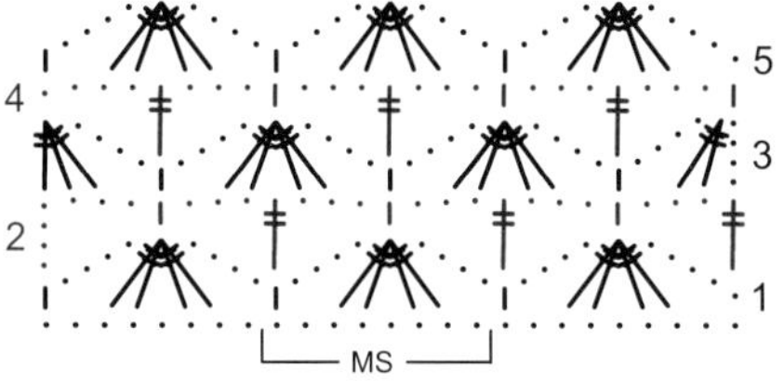

- • = 1 punto al aire
- I = 1 punto bajo
- ‡ = 1 bastoncillo doble

Número de puntos al aire muestra divisible por 8 + 1 + 5 puntos al aire de giro.
Si los signos están dirigidos hacia arriba, los puntos se pasan juntos. Repetir siempre filas 2-5.

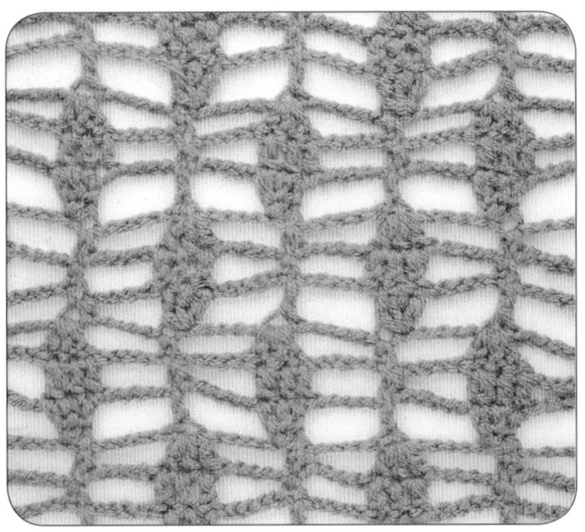

## Caramelos

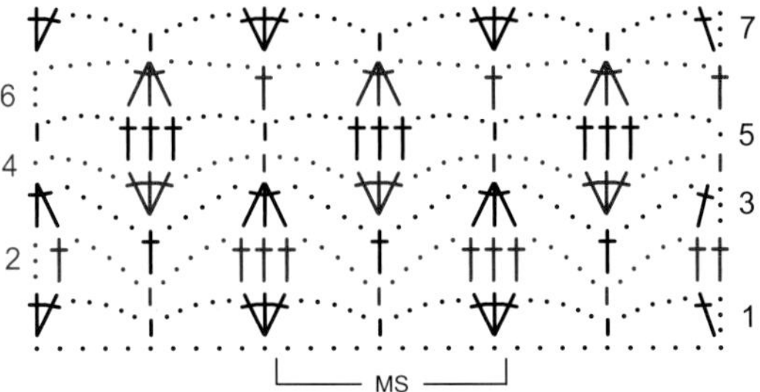

- • = 1 punto al aire
- I = 1 punto bajo
- † = 1 bastoncillo

Si los signos juntos están dirigidos hacia abajo, los puntos se tejen en el mismo lugar: si están dirigidos hacia arriba, se cierran juntos.

Número de puntos al aire muestra divisible por 10 + 1 + 3 puntos al aire de giro. Repetir siempre filas 2-7.

## Arañas

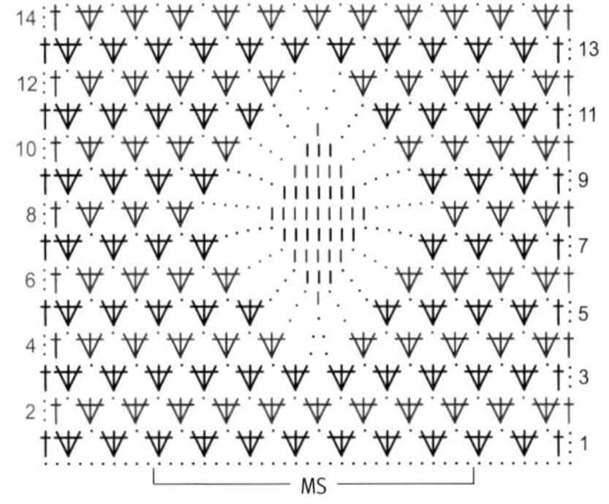

- • = 1 punto al aire
- I = 1 punto bajo
- † = 1 bastoncillo
- = 3 bastoncillos pinchados en el mismo lugar

Número de puntos al aire muestra divisible por 28 + 19 + 3 puntos al aire de giro. Repetir siempre filas 1-14.

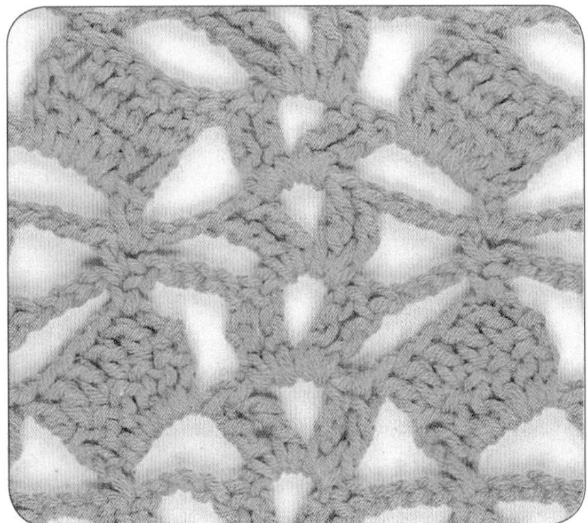

## Cajitas

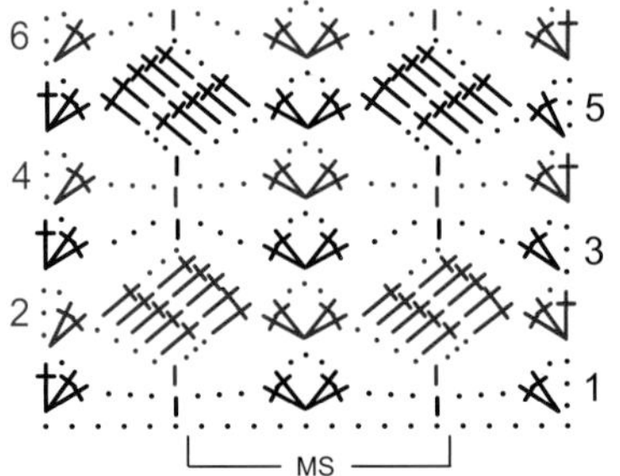

- • = 1 punto al aire
- I = 1 punto bajo
- † = 1 bastoncillo

Número de puntos al aire muestra divisible por 10 + 1 + 4 puntos al aire de giro. Si varios signos juntos están dirigidos hacia abajo, los puntos se tejen juntos en el mismo lugar. Repetir siempre filas 1-6.

## Rombos grandes

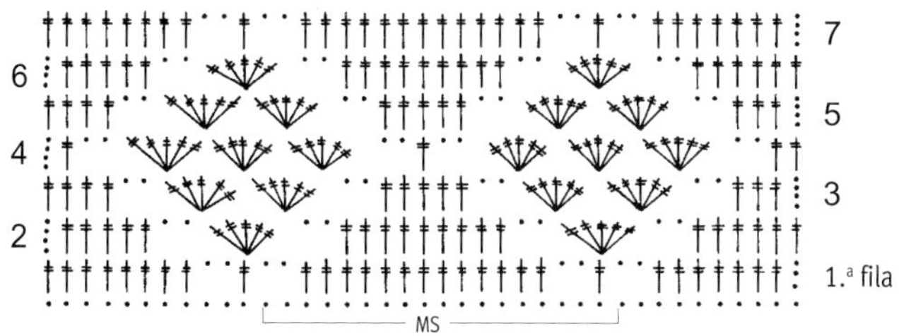


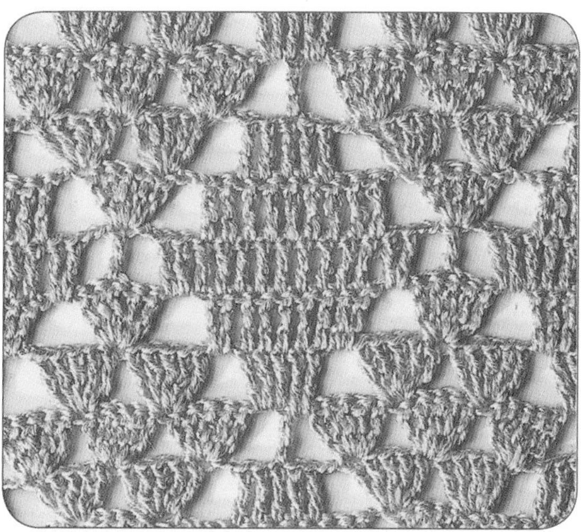

• = 1 punto al aire

† = 1 bastoncillo doble

= 5 bastoncillos dobles pinchados en el mismo lugar

Número de puntos al aire muestra divisible por 18 + 3 + 3 puntos al aire de giro. Repetir siempre filas 2-7.

## Rombos poco compactos

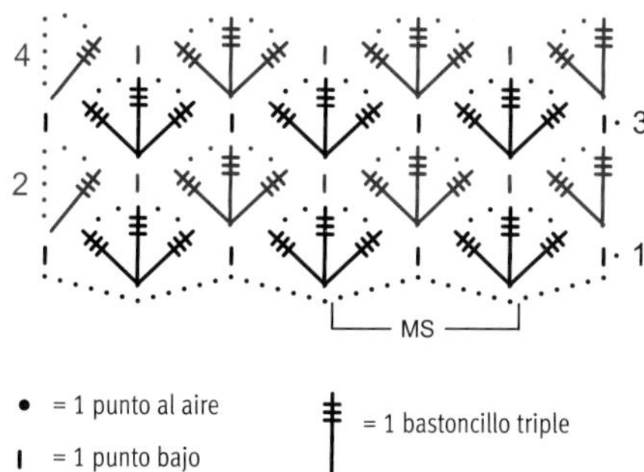


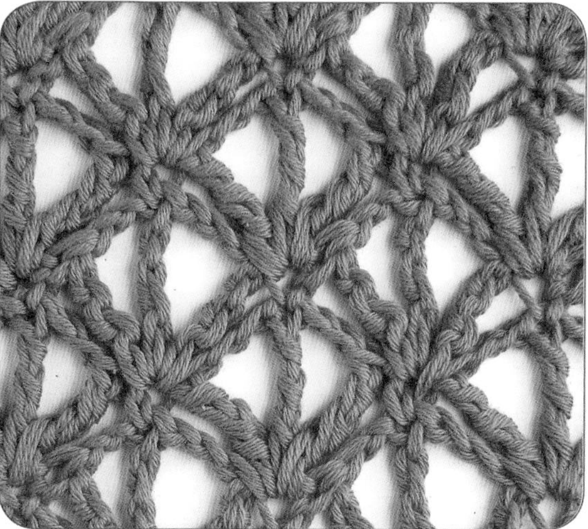

• = 1 punto al aire

I = 1 punto bajo

= 1 bastoncillo triple

Número de puntos al aire muestra divisible por 12 + 1 + 1 puntos al aire de giro. Si los signos están dirigidos juntos hacia abajo, pinchar los puntos en el mismo lugar. Repetir siempre filas 3 y 4.

## Calados en diagonal

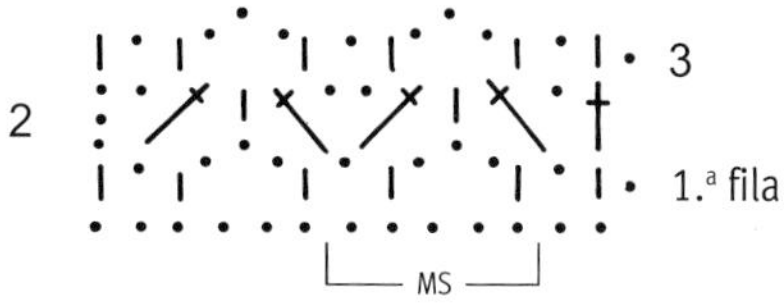


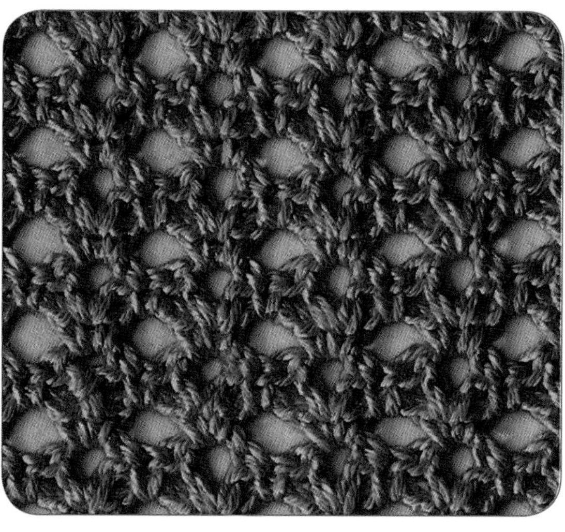

• = 1 punto al aire

I = 1 punto bajo

† = 1 bastoncillo

Número de puntos al aire muestra divisible por 5 + 3 + 1 puntos al aire de giro. Repetir siempre filas 2 y 3.

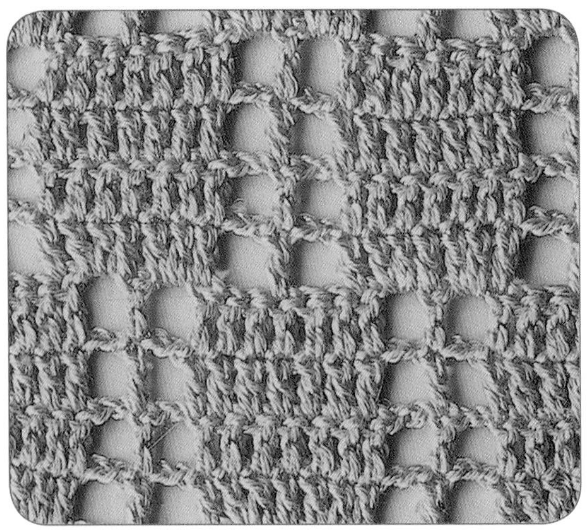

## Dominó

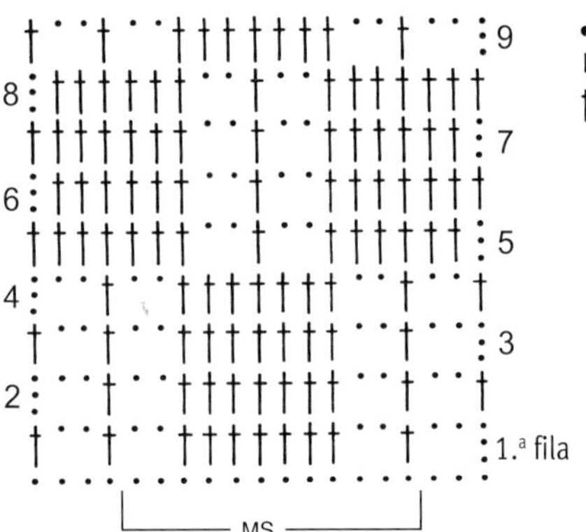


Número de puntos al aire muestra divisible por 12 + 7 + 3 puntos al aire de giro.
Repetir siempre filas 2-9.

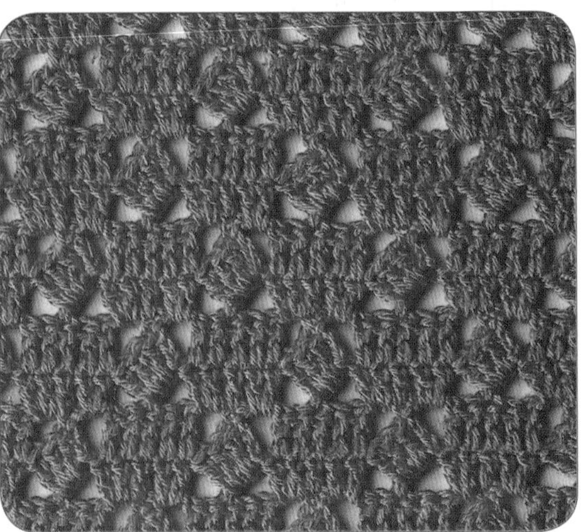

## Cajitas en diagonal

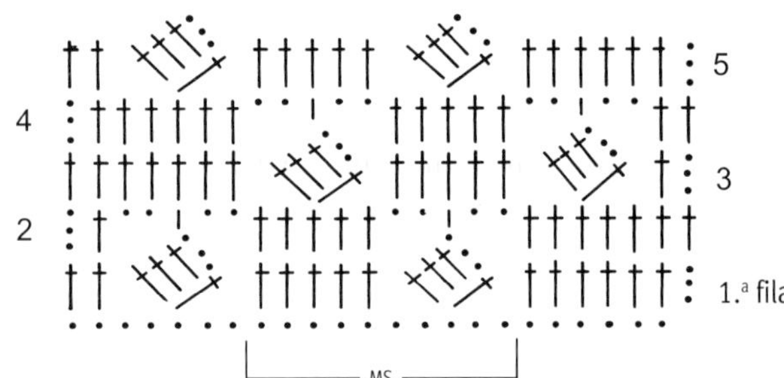


• = 1 punto al aire
† = 1 bastoncillo

Número de puntos al aire muestra divisible por 10 + 3 + 3 puntos al aire de giro.
Repetir siempre filas 2-5.

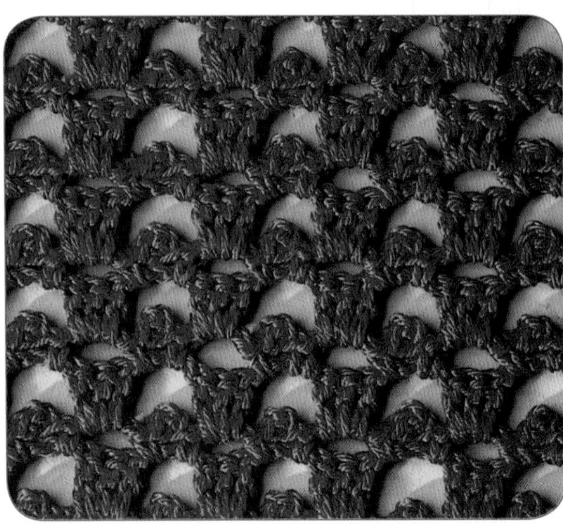

## Lunas

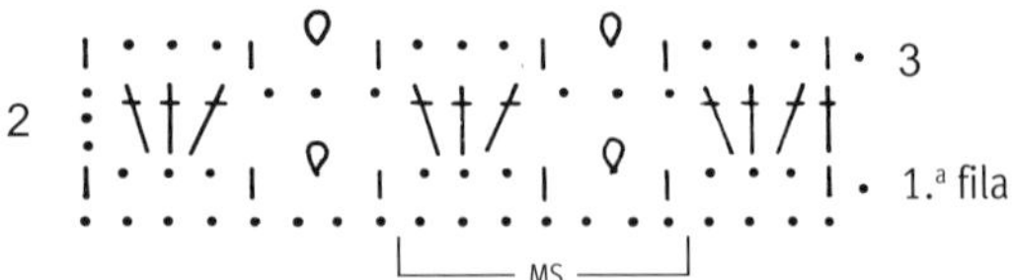


• = 1 punto al aire
I = 1 punto bajo
† = 1 bastoncillo
Ọ = 1 piquillo (3 puntos al aire y 1 punto bajo hacia atrás en el 1.er punto al aire)

Número de puntos al aire muestra divisible por 7 + 5 + 1 puntos al aire de giro.
Repetir siempre filas 2 y 3.

## Cajitas

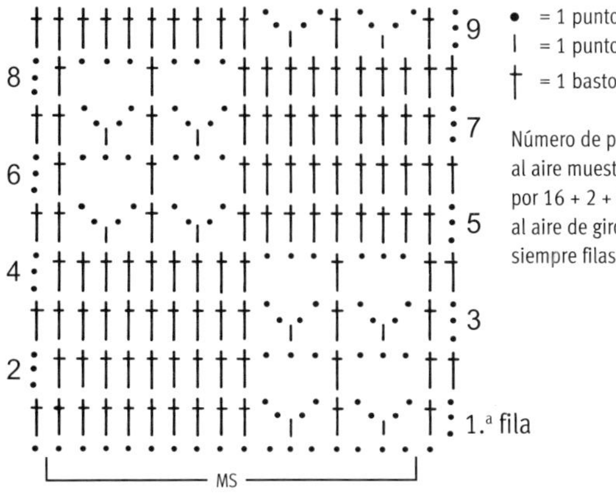

• = 1 punto al aire
I = 1 punto bajo
† = 1 bastoncillo

Número de puntos al aire muestra divisible por 16 + 2 + 3 puntos al aire de giro. Repetir siempre filas 2-9.

## Puertas en arco

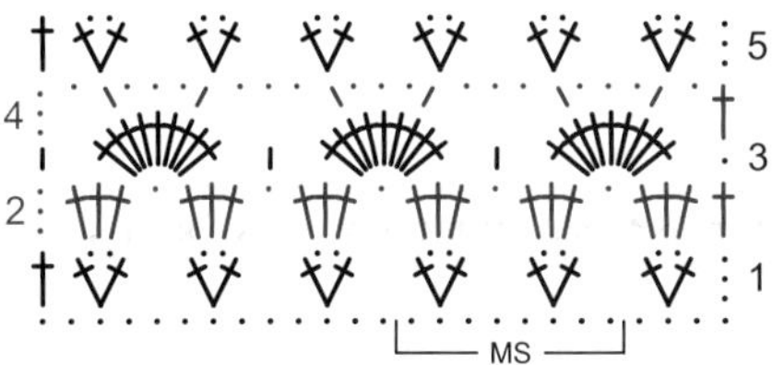

• = 1 punto al aire
I = 1 punto bajo
† = 1 bastoncillo

Si los signos están dirigidos juntos hacia abajo, los puntos se pinchan en el mismo lugar. Número de puntos al aire muestra divisible por 8 + 1 + 3 puntos al aire de giro. Repetir siempre filas 2-5.

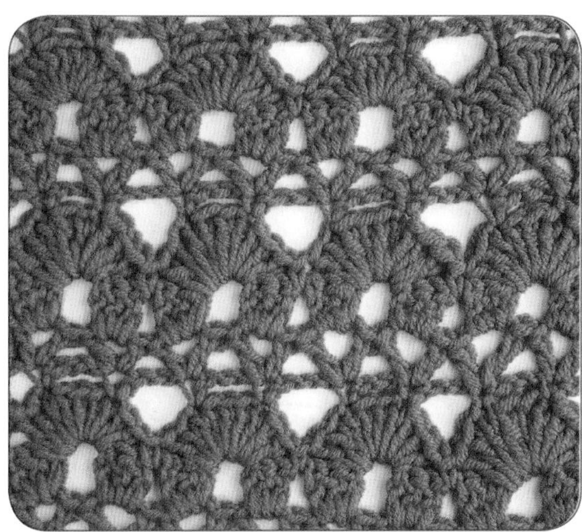

## Estrellitas mágicas

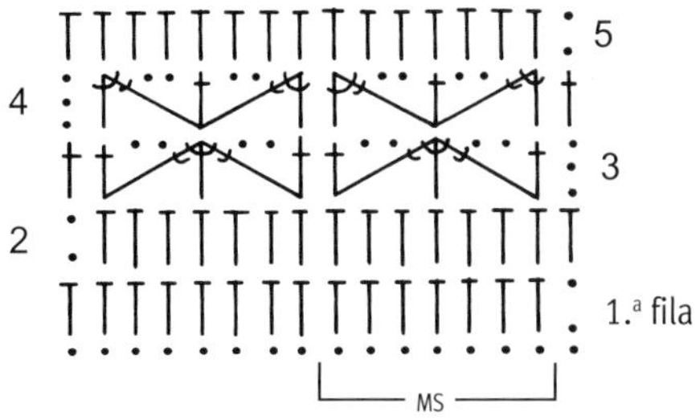

• = 1 punto al aire
T = 1 medio bastoncillo
† = 1 bastoncillo
‡ = 1 bastoncillo doble

Si varios signos juntos están dirigidos hacia arriba, los puntos se pasan juntos. Número de puntos al aire muestra divisible por 7 + 2 + 2 puntos al aire de giro. Repetir siempre filas 2-5.

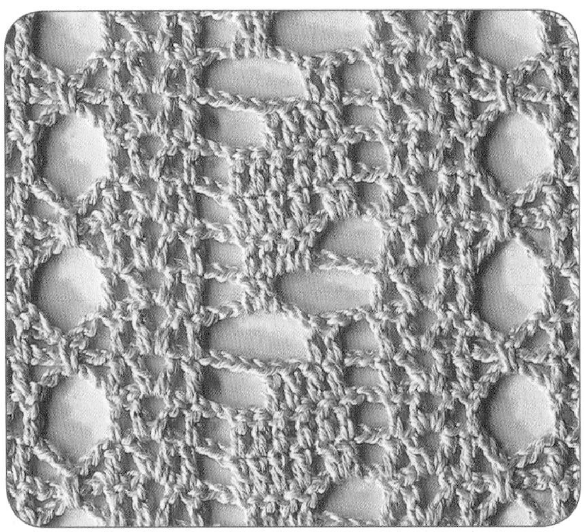

## Muestra de fantasía

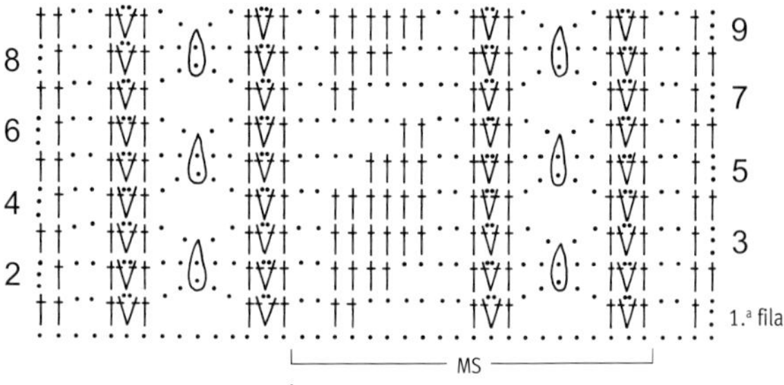


• = 1 punto al aire
† = 1 bastoncillo
= 1 punto bajo alrededor de los 2 arcos de puntos al aire situados debajo

Si varios signos se encuentran dirigidos juntos hacia abajo, pinchar los puntos en el mismo lugar.
Número de puntos al aire muestra divisible por 21 + 19 + 3 puntos al aire de giro.
Repetir siempre filas 4-9.

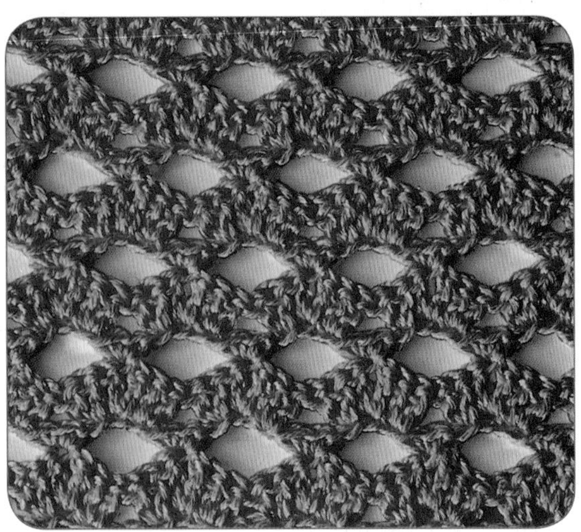

## Almendras

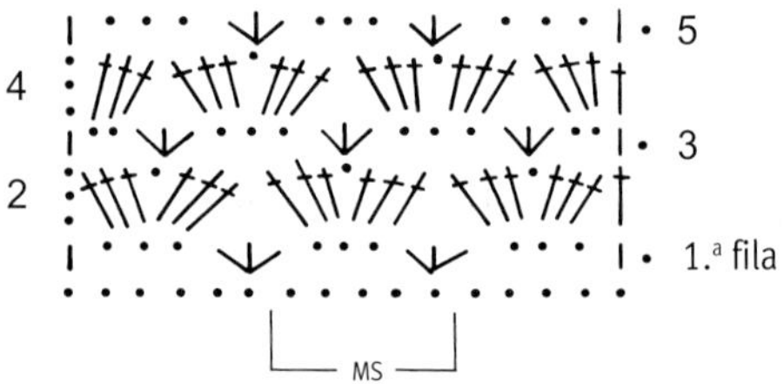


• = 1 punto al aire
| = 1 punto bajo
† = 1 bastoncillo

Si varios signos se encuentran dirigidos juntos hacia abajo, pinchar los puntos en el mismo lugar.
Número de puntos al aire muestra divisible por 5 + 1 + 1 puntos al aire de giro.
Repetir siempre filas 2-5.

## Baldosas de colores

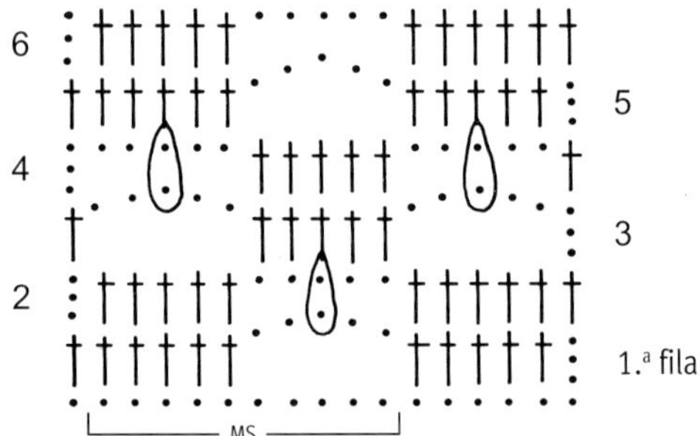


• = 1 punto al aire
† = 1 bastoncillo
= 1 bastoncillo alrededor de los 2 arcos de puntos al aire situados debajo

Número de puntos al aire muestra divisible por 10 + 7 + 3 puntos al aire de giro.
Repetir siempre filas 3-6 y cada 2 filas cambiar de color.

## Rombos en diagonal

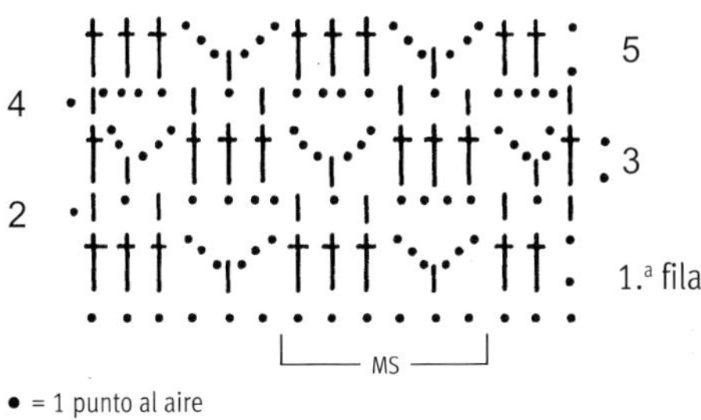


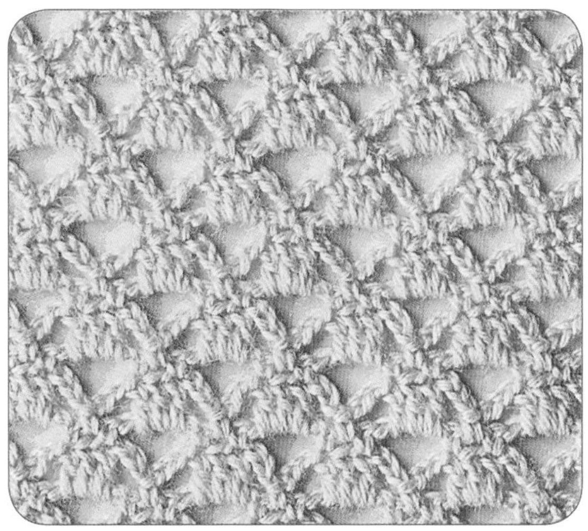

Numero de puntos al aire muestra divisible por 6 + 3 + 2 puntos al aire de giro. Repetir siempre filas 2-5.

## Flores de fantasía

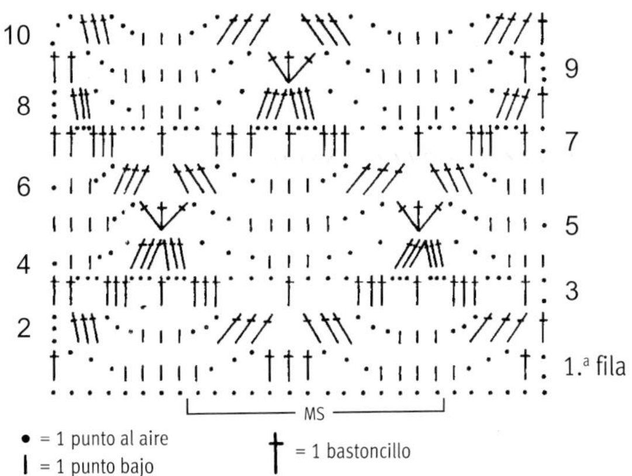


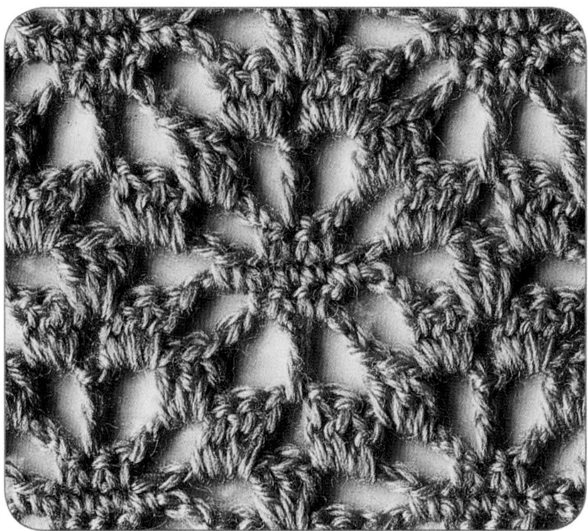

Número de puntos al aire muestra divisible por 14 + 2 puntos al aire de giro. Repetir siempre filas 3-10.

## Dientes de león

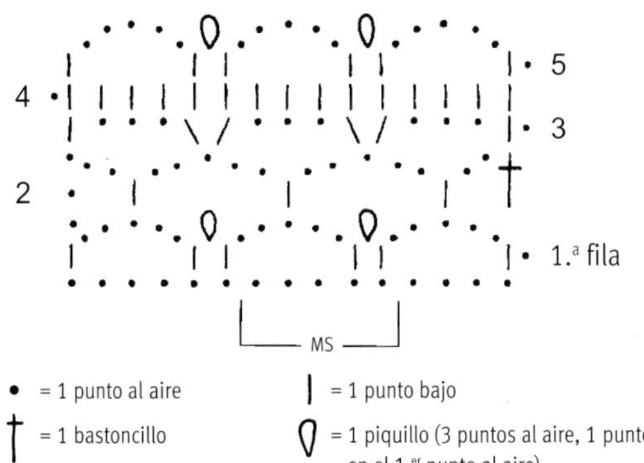

Número de puntos al aire muestra divisible por 5 + 1 puntos al aire de giro. Repetir siempre filas 2-5.

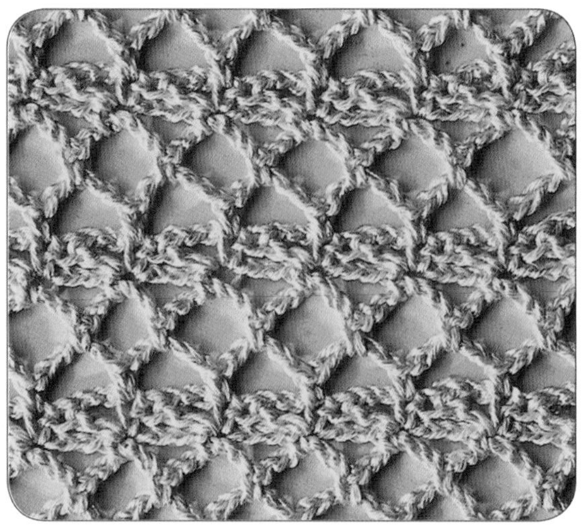

## Franjas de rombos

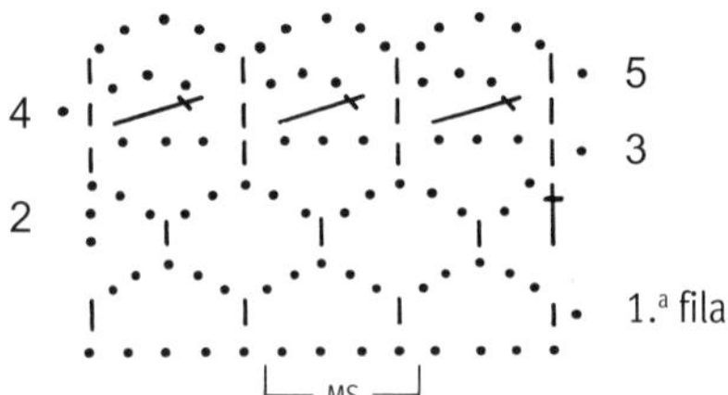


• = 1 punto al aire
I = 1 punto bajo
† = 1 bastoncillo

Si varios signos juntos están dirigidos hacia abajo, los puntos se pinchan en el mismo lugar. Número de puntos al aire muestra divisible por 4 + 1 + 1 puntos al aire de giro. Repetir siempre filas 2-5.

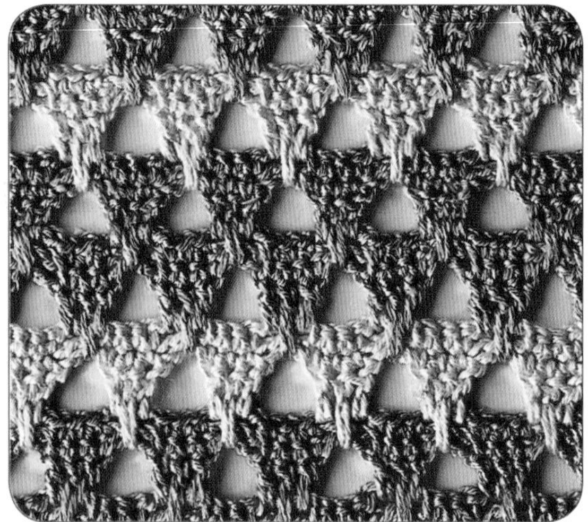

## Triángulos de colores

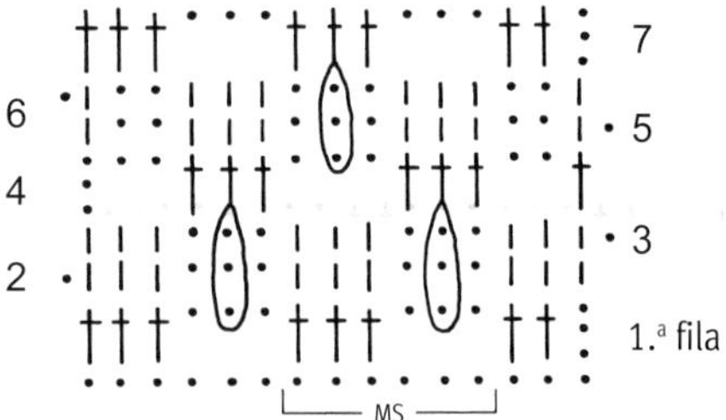


• = 1 punto al aire
† = 1 bastoncillo
= 1 bastoncillo alrededor de los 3 arcos con puntos al aire situados debajo

Número de puntos al aire muestra divisible por 6 + 3 + 3 puntos al aire de giro. Repetir siempre filas 2-7 y cambiar de color cada 3 filas.

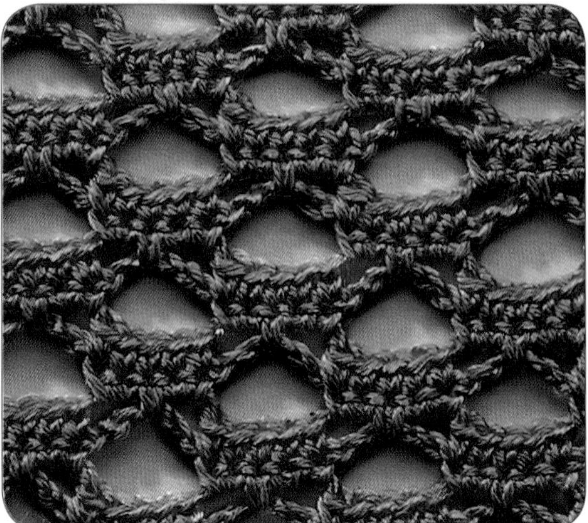

## Muestra con arcos

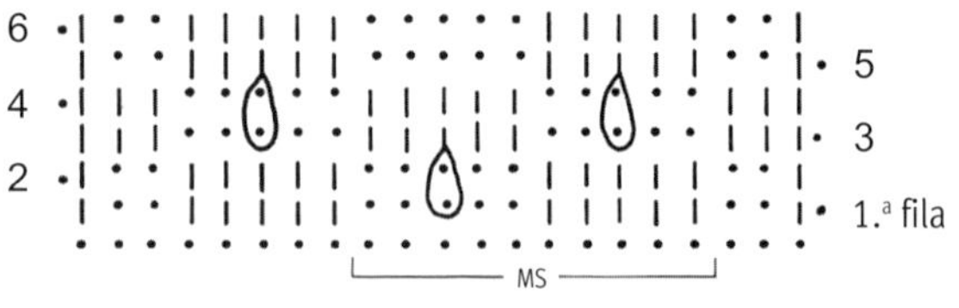


• = 1 punto al aire
I = 1 punto bajo
= 1 bastoncillo alrededor de los 3 arcos con puntos al aire situados debajo

Número de puntos al aire muestra divisible por 10 + 1 + 1 puntos al aire de giro. Repetir siempre filas 3-6.

## Pérgolas

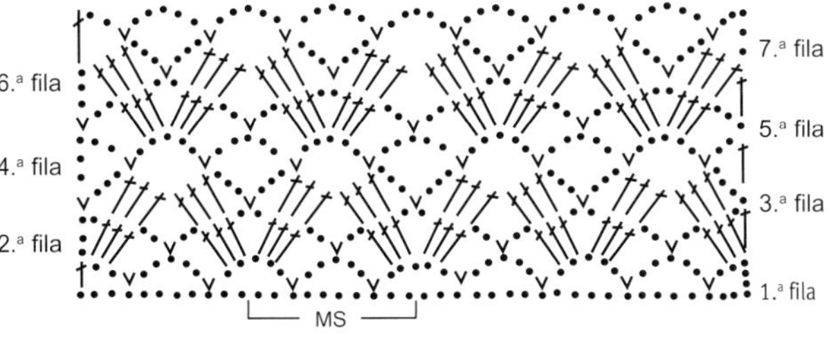


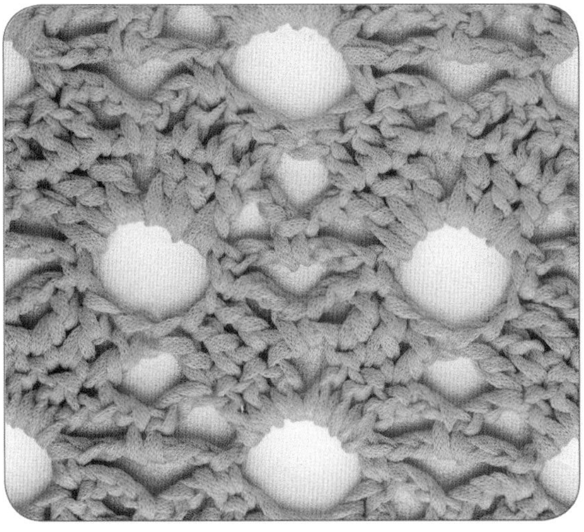

• = 1 punto al aire
V = 1 punto bajo
† = 1 bastoncillo

Número de puntos al aire muestra divisible por 10 + 2 + 5 puntos al aire de giro.
Repetir siempre filas 2-7.

## Grandes notas musicales

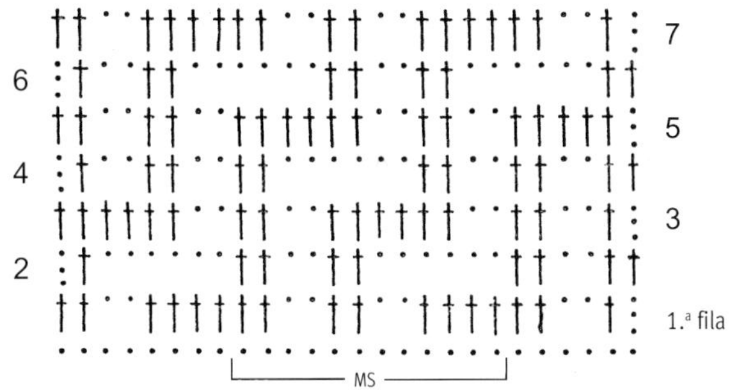


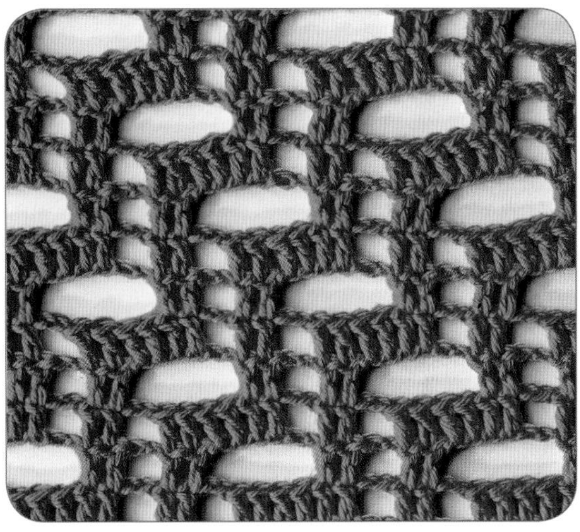

• = 1 punto al aire
† = 1 bastoncillo

Número de puntos al aire muestra divisible por 12 + 2 + 3 puntos al aire de giro.
Repetir siempre filas 2-7.

## Rayas de flores

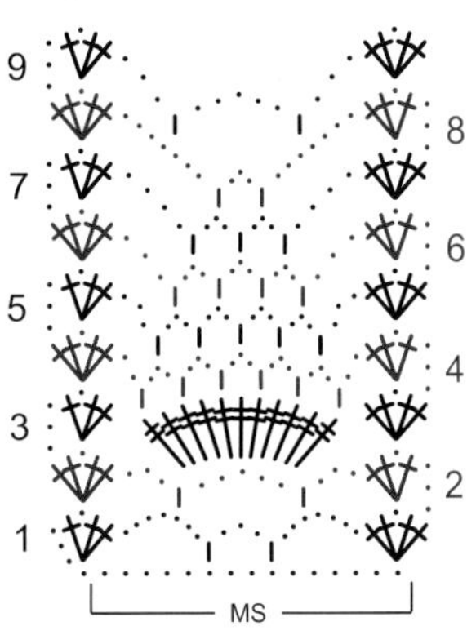


• = 1 punto al aire
I = 1 punto bajo
† = 1 bastoncillo
‡ = 1 bastoncillo doble

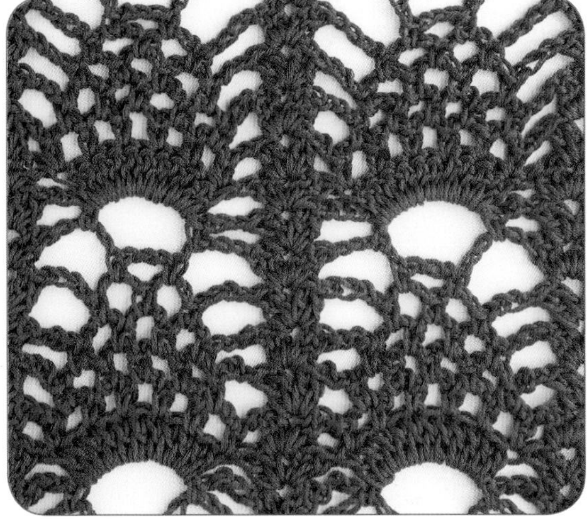

Número de puntos al aire muestra divisible por 15 + 1 + 3 puntos al aire de giro.
Repetir siempre filas 3-9.

## Alternancia de arcos

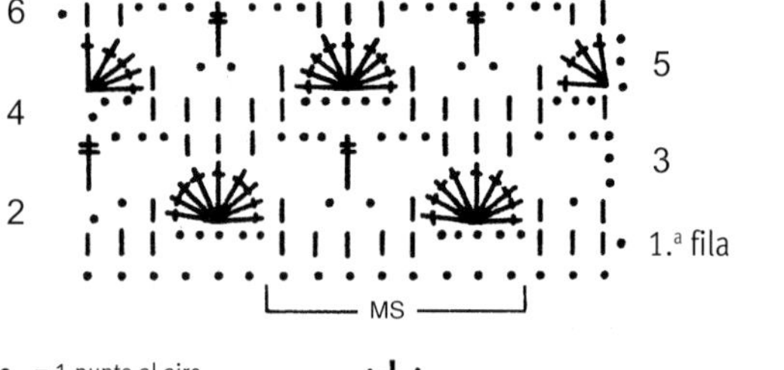


• = 1 punto al aire
I = 1 punto bajo
† = 1 bastoncillo doble
= 9 bastoncillos pinchados en el mismo lu
= 4 bastoncillos pinchados en el mismo lu

Número de puntos al aire muestra divisible por 8 + 1 + 1 puntos al aire de giro. Repetir siempre filas 2-7.

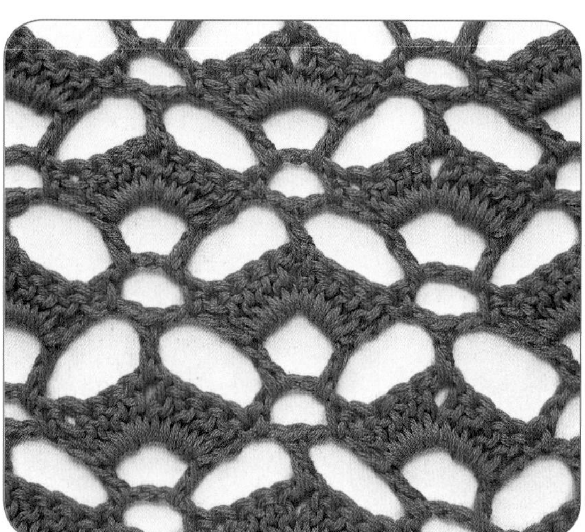

## Arcos quebrados

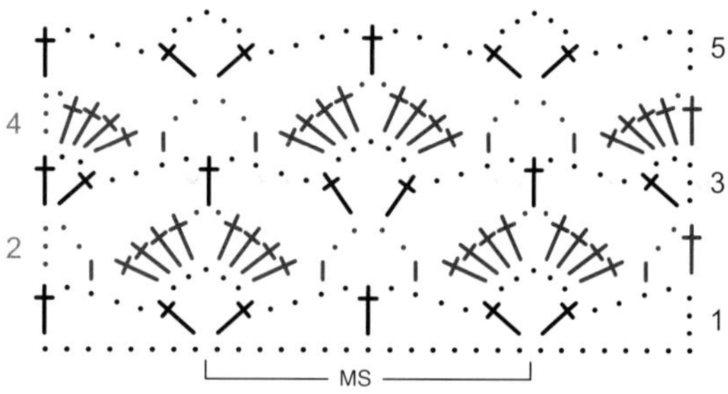


• = 1 punto al aire
I = 1 punto bajo
† = 1 bastoncillo

Número de puntos al aire muestra divisible por 15 + 1 + 7 puntos al aire de giro. Repetir siempre filas 2-5.

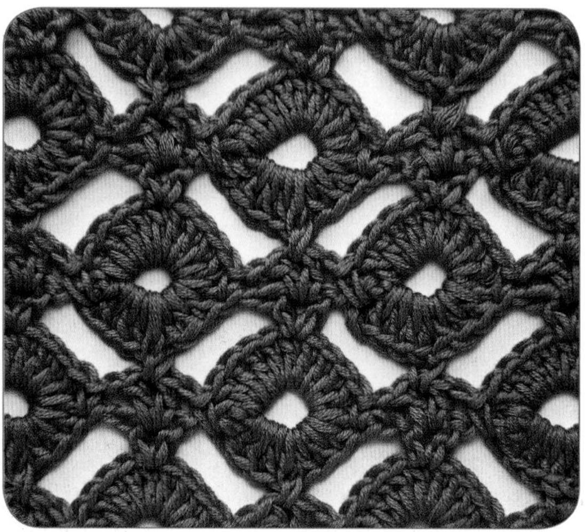

## Medallones

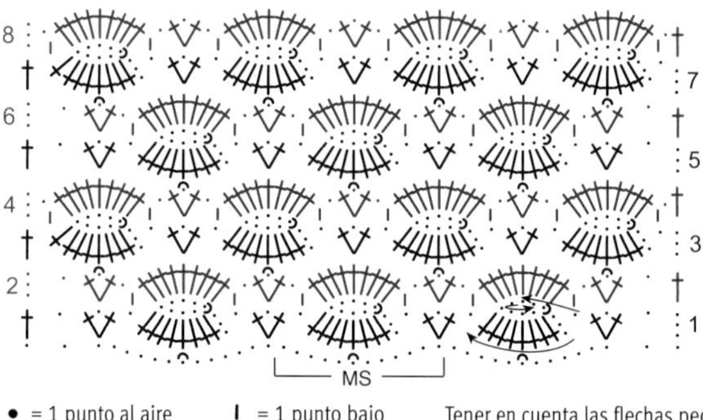


• = 1 punto al aire
⌒ = 1 punto cadeneta
I = 1 punto bajo
† = 1 bastoncillo

Tener en cuenta las flechas pequeña para el sentido de la labor

Si varios signos están dirigidos juntos hacia abajo, los puntos se pinchan en el mismo lugar. Número de puntos al aire muestra divisible por 12 + 5 + 4 puntos al aire de giro. Trabajar filas 1-8 × 1, luego repetir siempre filas 5-8.

## Soles en miniatura

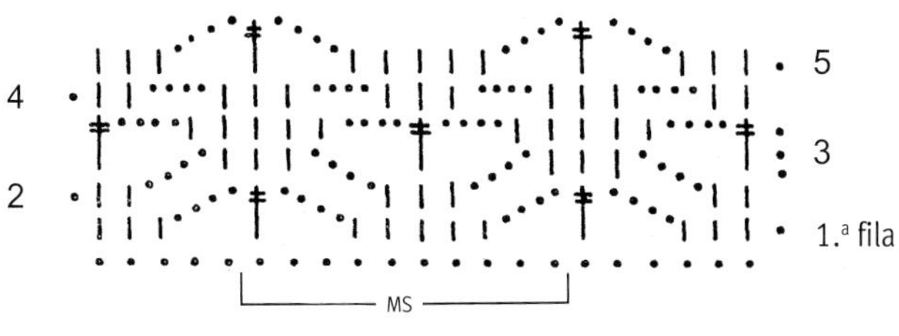


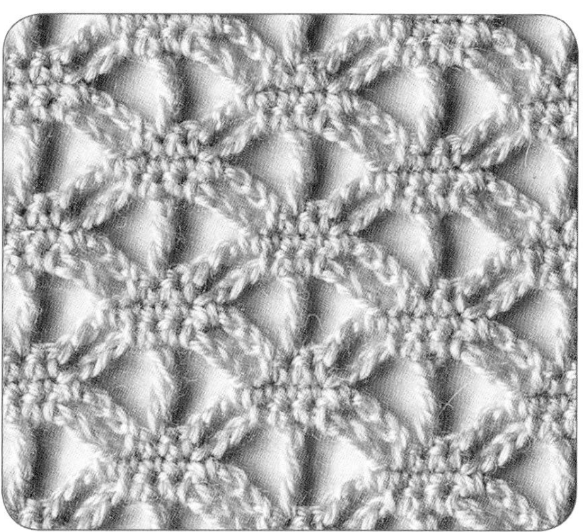

• = 1 punto al aire
I = 1 punto bajo
ǂ = 1 bastoncillo doble

Número de puntos al aire muestra divisible por 10 + 1 + 1 puntos al aire de giro.
Repetir siempre filas 2-5.

## Muestra de rayas con rombos

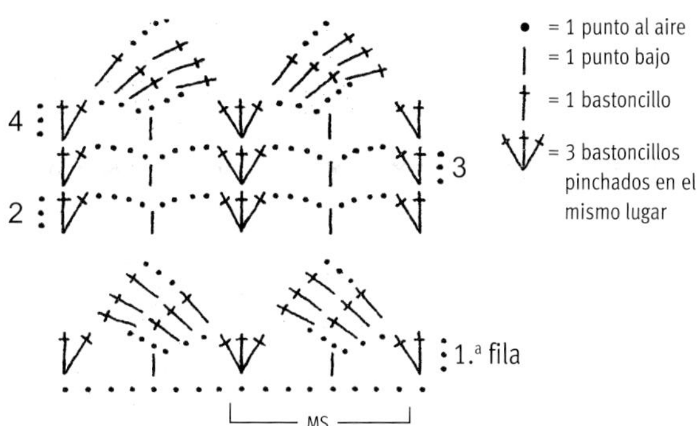


• = 1 punto al aire
| = 1 punto bajo
† = 1 bastoncillo
= 3 bastoncillos pinchados en el mismo lugar

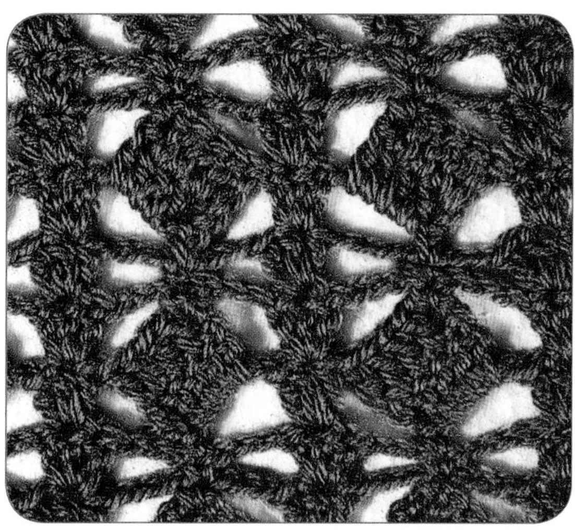

Número de puntos al aire muestra divisible por 8 + 1 + 3 puntos al aire de giro.
Repetir siempre filas 2-4.

## Ramitos de claveles

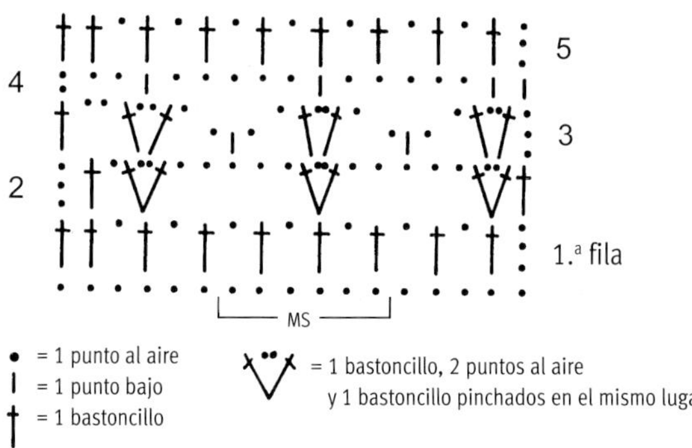

• = 1 punto al aire
I = 1 punto bajo
† = 1 bastoncillo

= 1 bastoncillo, 2 puntos al aire y 1 bastoncillo pinchados en el mismo lugar

Número de puntos al aire muestra divisible por 6 + 5 + 3 puntos al aire de giro.
Repetir siempre filas 2-5.

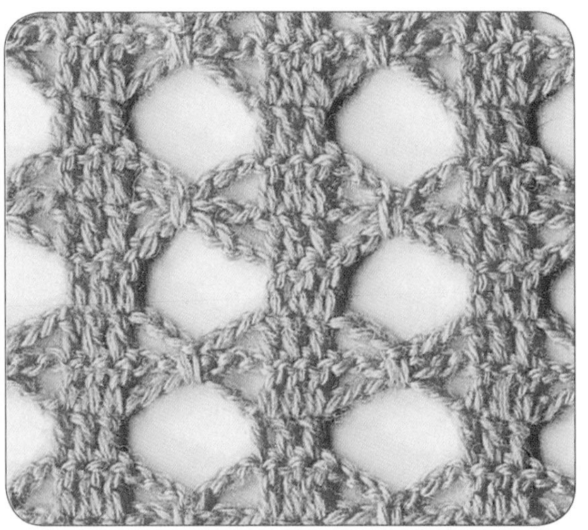

## Lacitos vieneses

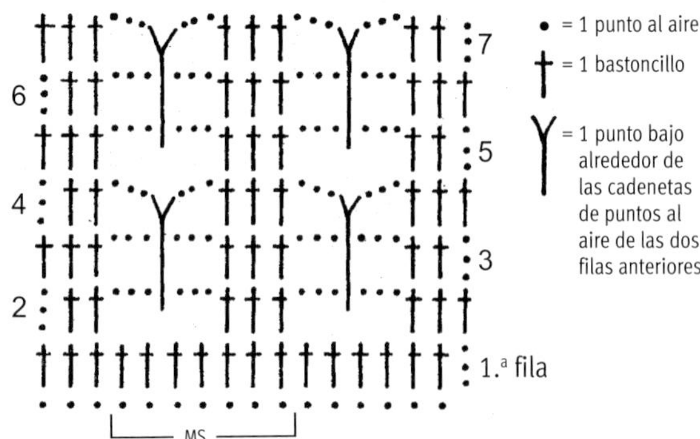


Número de puntos al aire muestra divisible por 7 + 2 + 3 puntos al aire de giro.
Repetir siempre filas 2-7.

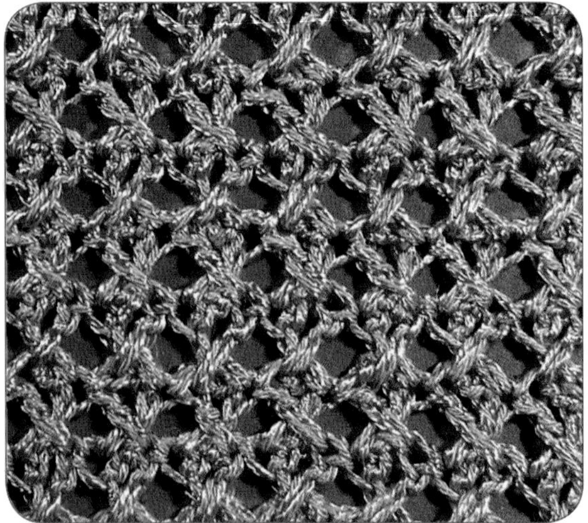

## Bastoncillos cruzados

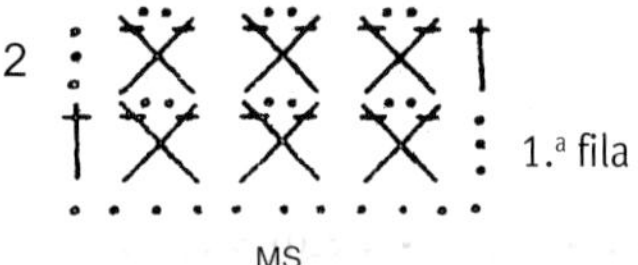


• = 1 punto al aire
= 1 bastoncillo
= pasar por encima 2 puntos, 1 bastoncillo, 2 puntos al aire, 1 bastoncillo en el 1.er punto pasado por encima

Número de puntos al aire muestra divisible por 3 + 2 + 3 puntos al aire de giro.
Repetir siempre filas 1 y 2.

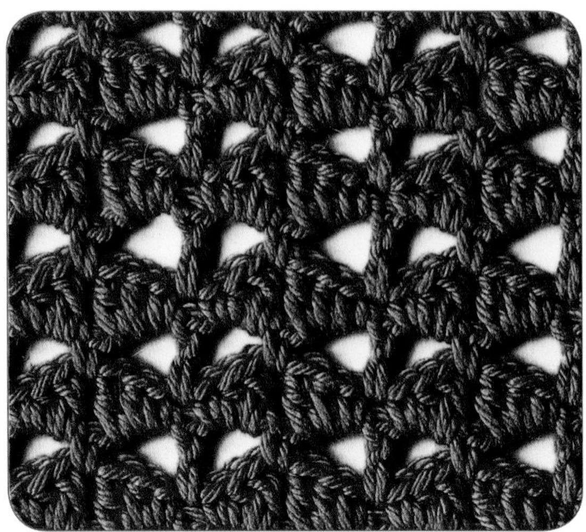

## Olas del Neckar

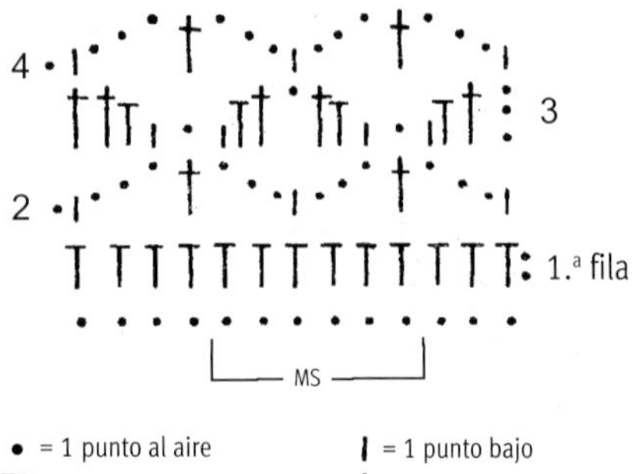


• = 1 punto al aire
= 1 medio bastoncillo
= 1 punto bajo
= 1 bastoncillo

Número de puntos al aire muestra divisible por 6 + 1 + 2 puntos al aire de giro.
Repetir siempre filas 3 y 4.

## Cadenas grandes

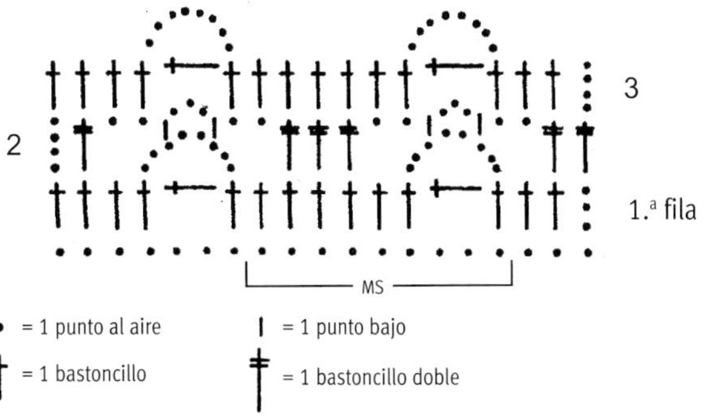


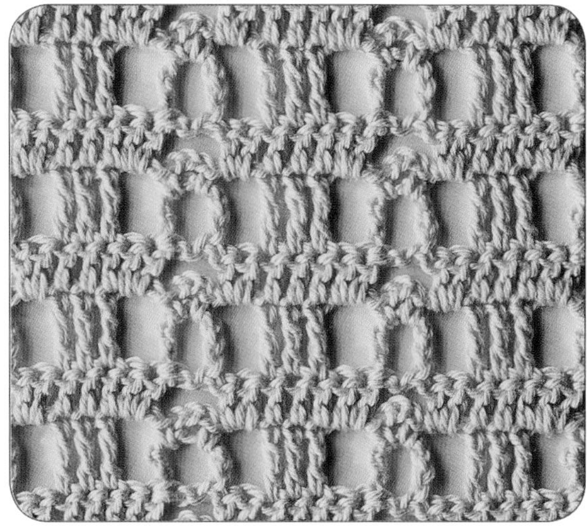

• = 1 punto al aire | = 1 punto bajo
† = 1 bastoncillo ‡ = 1 bastoncillo doble

Número de puntos al aire muestra divisible por 9 + 1 + 3 puntos al aire de giro.
Repetir siempre filas 2 y 3.

## Rayas de flores en diagonal

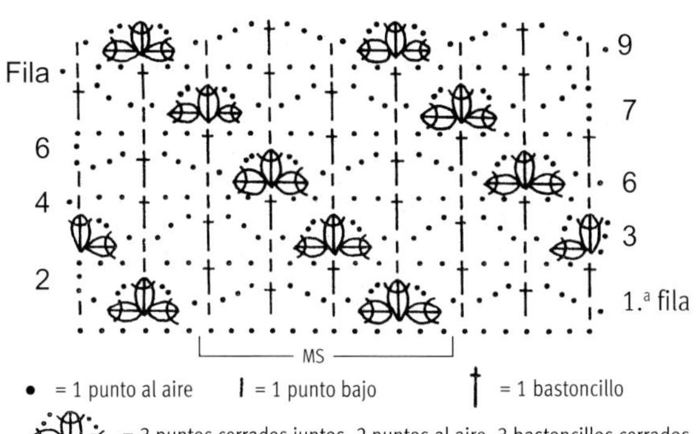


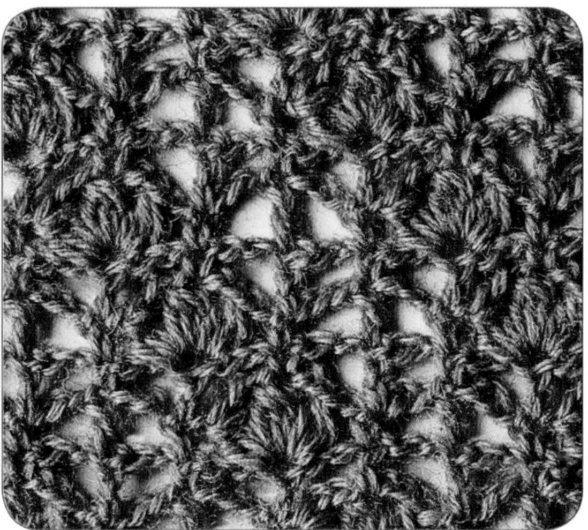

• = 1 punto al aire | = 1 punto bajo † = 1 bastoncillo

= 3 puntos cerrados juntos, 2 puntos al aire, 3 bastoncillos cerrados juntos, 2 puntos al aire y 3 bastoncillos cerrados juntos en el mismo lugar

Número de puntos al aire muestra divisible por 12 + 1 + 1 puntos al aire de giro.
Repetir siempre filas 2-9.

## Ventanitas

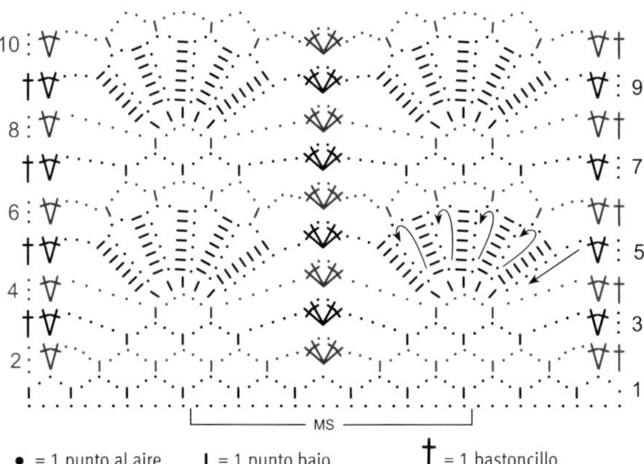

• = 1 punto al aire | = 1 punto bajo † = 1 bastoncillo

Número de puntos al aire muestra divisible por 20 + 3 + 4 puntos al aire de giro.
Repetir siempre filas 7-10.

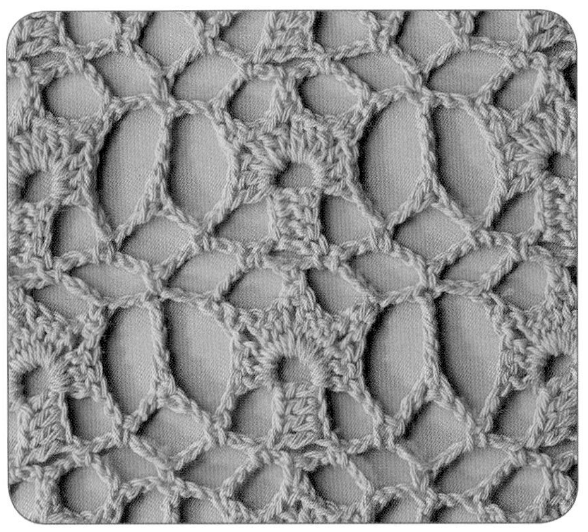

## Orión

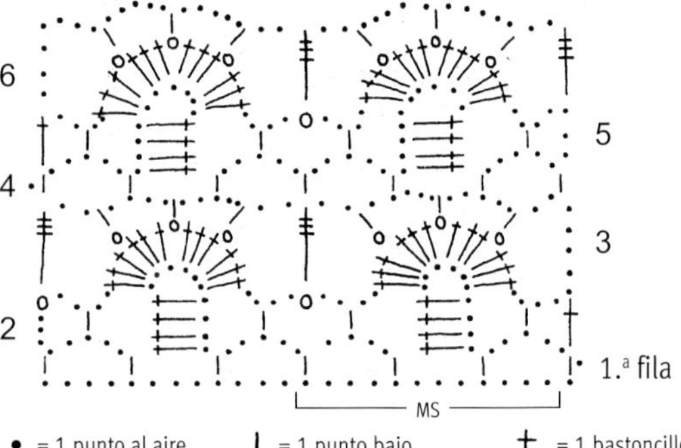


• = 1 punto al aire | = 1 punto bajo † = 1 bastoncillo

O = 1 piquillo (3 puntos al aire, 1 punto bajo en el 1.er punto al aire)

Número de puntos al aire muestra divisible por 12 + 1 + 1 puntos al aire de giro. Repetir siempre filas 1-6.

## Muestra de follaje

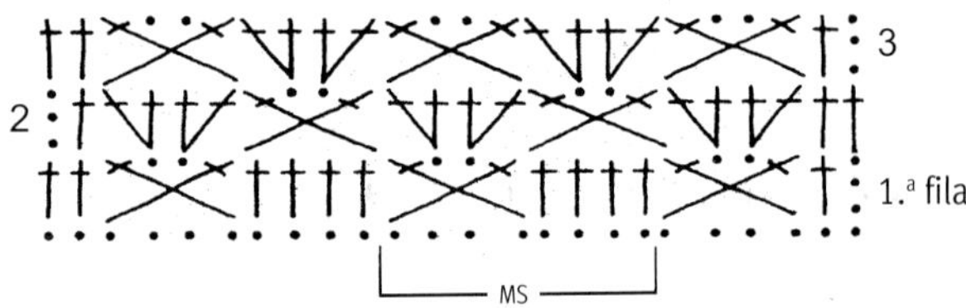


• = 1 punto al aire

† = 1 bastoncillo

= pasar por encima 3 puntos, 1 bastoncillo, 2 puntos al aire, 1 bastoncillo en el 1.er punto pasado por encima

Número de puntos al aire muestra divisible por 8 + 3 puntos al aire de giro. Repetir siempre filas 2 y 3.

## Muestra con coronitas

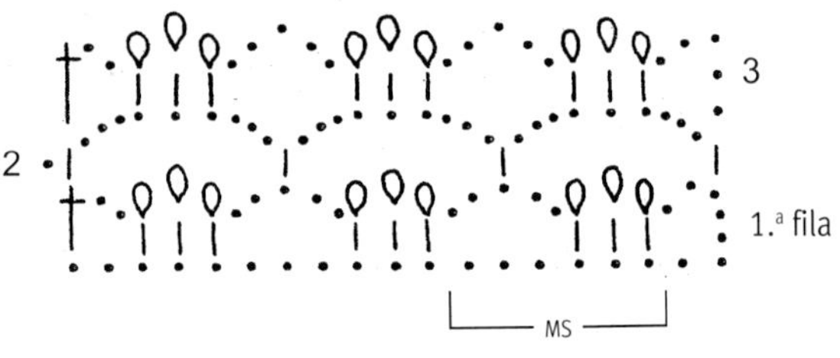


• = 1 punto al aire

| = 1 punto bajo

O = 1 piquillo (3 puntos al aire, 1 punto bajo en el 1.er punto al aire

† = 1 bastoncillo

Número de puntos al aire muestra divisible por 6 + 1 + 5 puntos al aire de giro. Repetir siempre filas 2 y 3.

## Tréboles

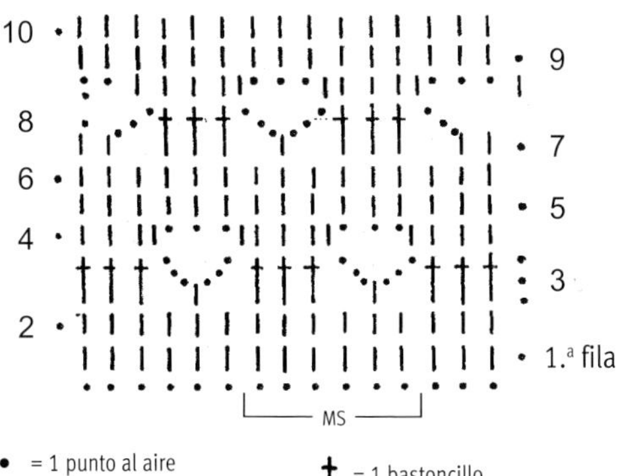

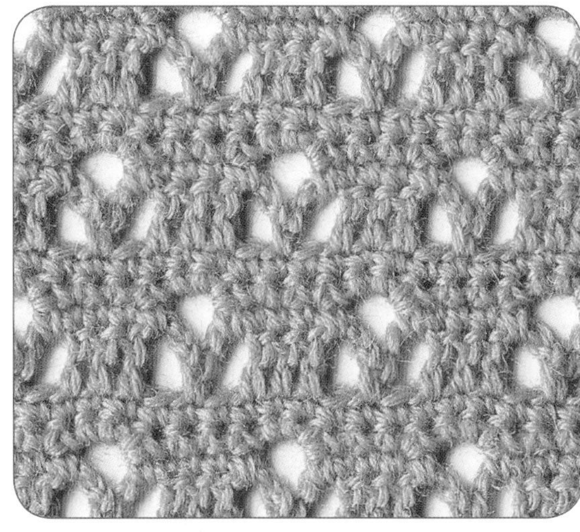

• = 1 punto al aire
I = 1 punto bajo
† = 1 bastoncillo

Número de puntos al aire muestra divisible por 6 + 3 + 1 puntos al aire de giro. Repetir siempre filas 3-10.

## Triángulos

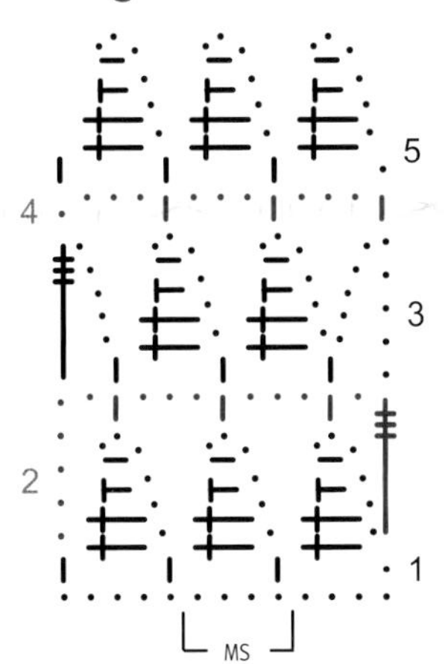

• = 1 punto al aire
I = 1 punto bajo
T = 1 medio bastoncillo
† = 1 bastoncillo
‡ = 1 bastoncillo triple

Número de puntos al aire muestra divisible por 4 + 1 + 1 puntos al aire de giro. Repetir siempre filas 2-5.

## Columnas

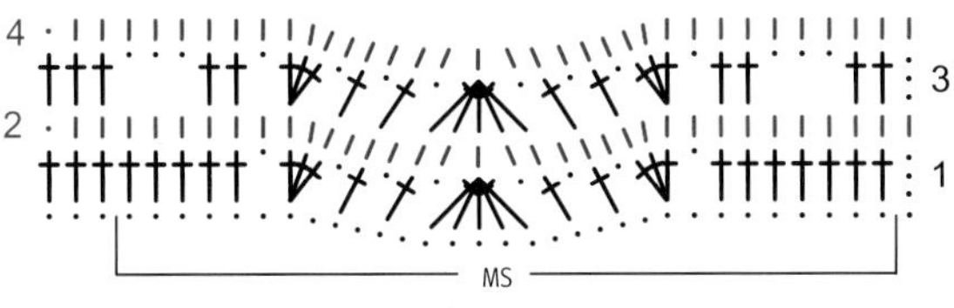

• = 1 punto al aire
I = 1 punto bajo
† = 1 bastoncillo

Si los signos están dirigidos juntos hacia abajo, pinchar los puntos en el mismo lugar. Si están dirigidos juntos hacia arriba, pasar los puntos juntos. Número de puntos al aire muestra divisible por 31 + 4 + 3 puntos al aire de giro. Repetir siempre filas 3 y 4.

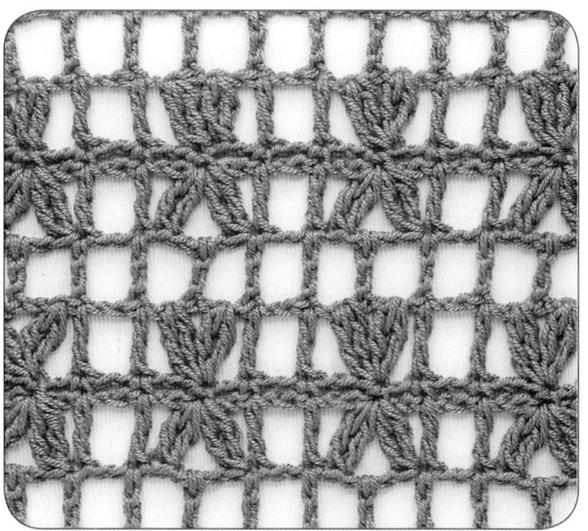

## Reja floreada

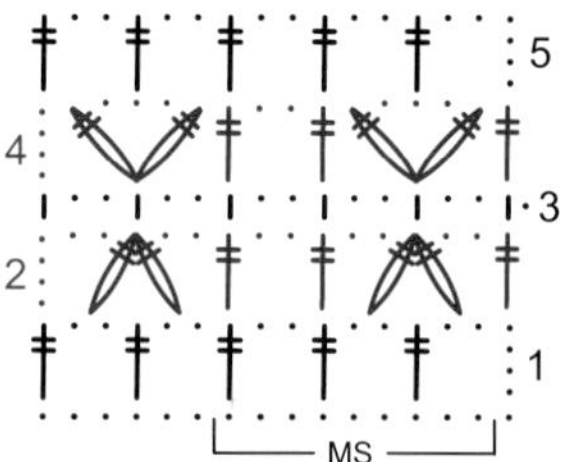


• = 1 punto al aire
I = 1 punto bajo
ǂ = 1 bastoncillo doble
= 2 bastoncillos dobles pasados juntos en el mismo lugar

Número de puntos al aire muestra divisible por 9 + 7 + 6 puntos al aire de giro. Si los signos están dirigidos juntos hacia abajo, pinchar los puntos en un mismo lugar; si están dirigidos juntos hacia arriba, se pasan juntos. Repetir siempre filas 2-5.

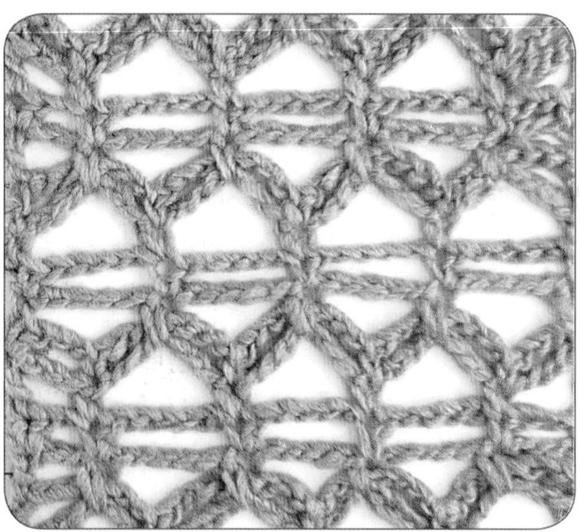

## Reja en zigzag

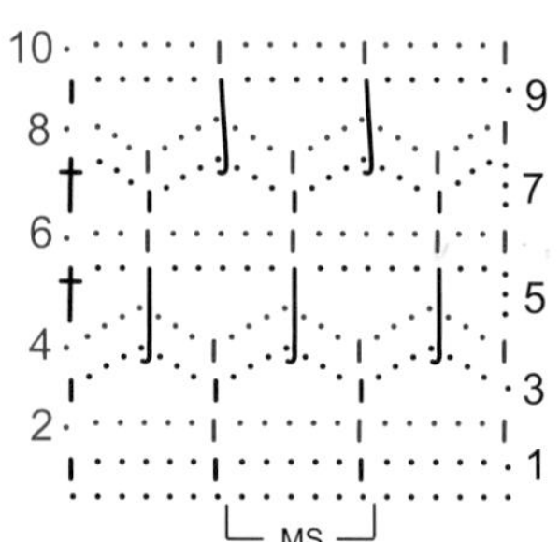


• = 1 punto al aire
I = 1 punto bajo
= 1 punto bajo alrededor de los 2 arcos de puntos al aire situados debajo
† = 1 bastoncillo

Número de puntos al aire muestra divisible por 6 + 1 + 6 puntos al aire de giro. Repetir siempre filas 3-10.

## Rosquillas

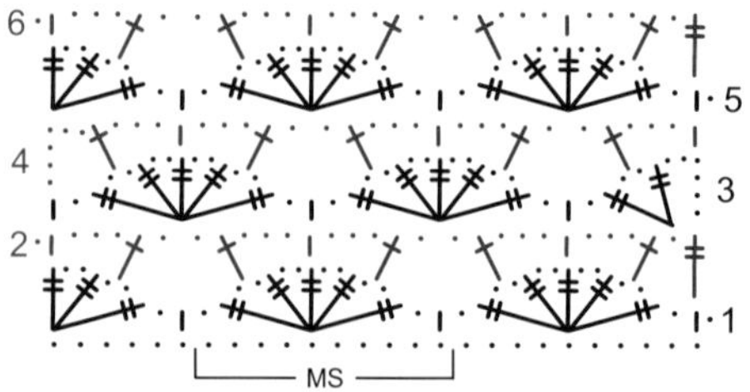


• = 1 punto al aire
I = 1 punto bajo
† = 1 bastoncillo
ǂ = 1 bastoncillo doble

Número de puntos al aire muestra divisible por 10 + 6 + 1 puntos al aire de giro. Si los signos están dirigidos juntos hacia abajo, tejer los puntos en el mismo lugar. Repetir siempre filas 3-6.

## Arañas enlazadas

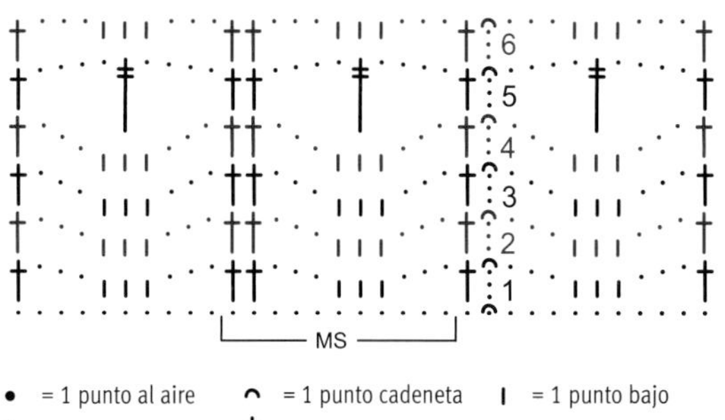

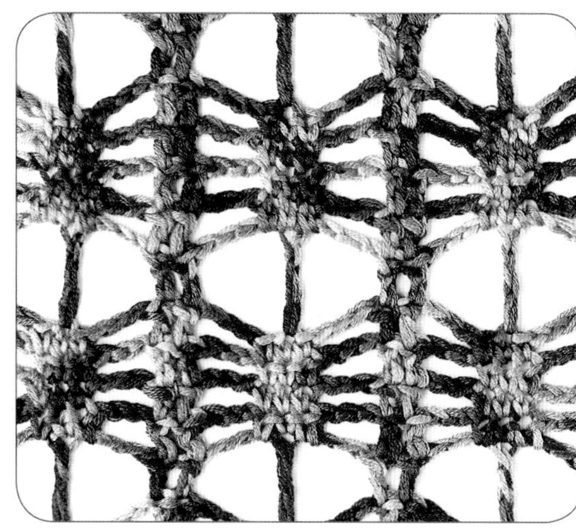

• = 1 punto al aire   ⌒ = 1 punto cadeneta   I = 1 punto bajo

† = 1 bastoncillo   ‡ = 1 bastoncillo doble

Esta muestra está dibujada para tejerla en círculo. Para tejerla en filas sustituir el 1.er bastoncillo de la fila por 3 puntos al aire de giro, y en lugar de la transición de la vuelta tejer 1 bastoncillo. Número de puntos al aire muestra divisible por 11 + 3 puntos al aire de giro. Repetir siempre filas 2-6.

## Muestra con hojas

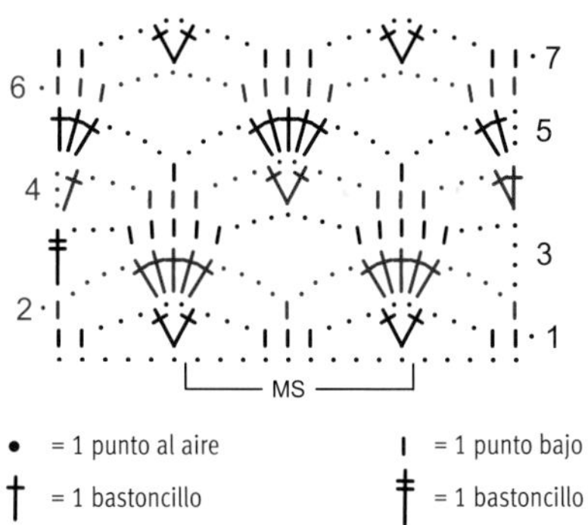

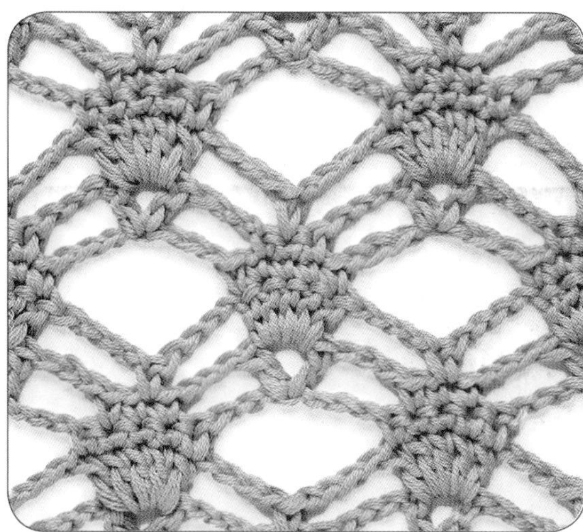

• = 1 punto al aire   I = 1 punto bajo

† = 1 bastoncillo   ‡ = 1 bastoncillo doble

Número de puntos al aire muestra divisible por 10 + 1 + 1 puntos al aire de giro. Si los signos están dirigidos juntos hacia abajo, trabajar los puntos juntos en el mismo lugar. Repetir siempre los bastoncillos de la 2.ª y 5.ª fila alrededor del arco de puntos al aire de la fila anterior. Repetir siempre filas 2-7.

## Tiras con hojas

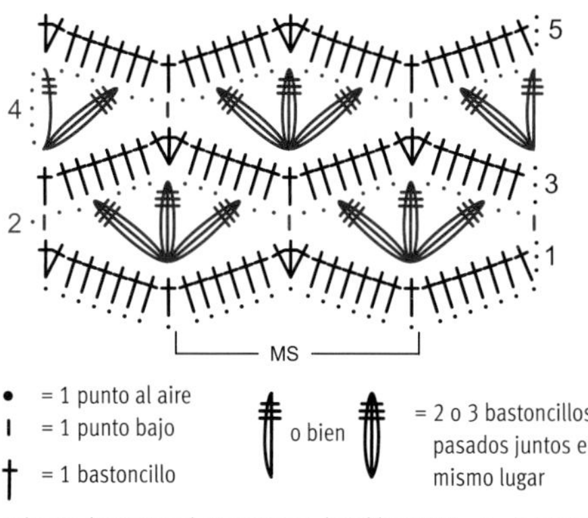

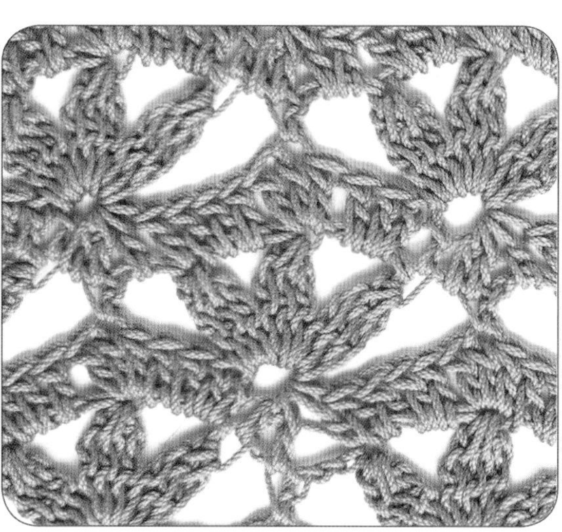

• = 1 punto al aire

I = 1 punto bajo

† = 1 bastoncillo

o bien = 2 o 3 bastoncillos triples pasados juntos en el mismo lugar

Número de puntos al aire muestra divisible por 14 + 1 + 3 puntos al aire de giro. Si los signos están dirigidos juntos hacia abajo, tejer los puntos juntos en el mismo lugar. Repetir siempre filas 2-5.

# Patchwork a ganchillo

## Círculo A

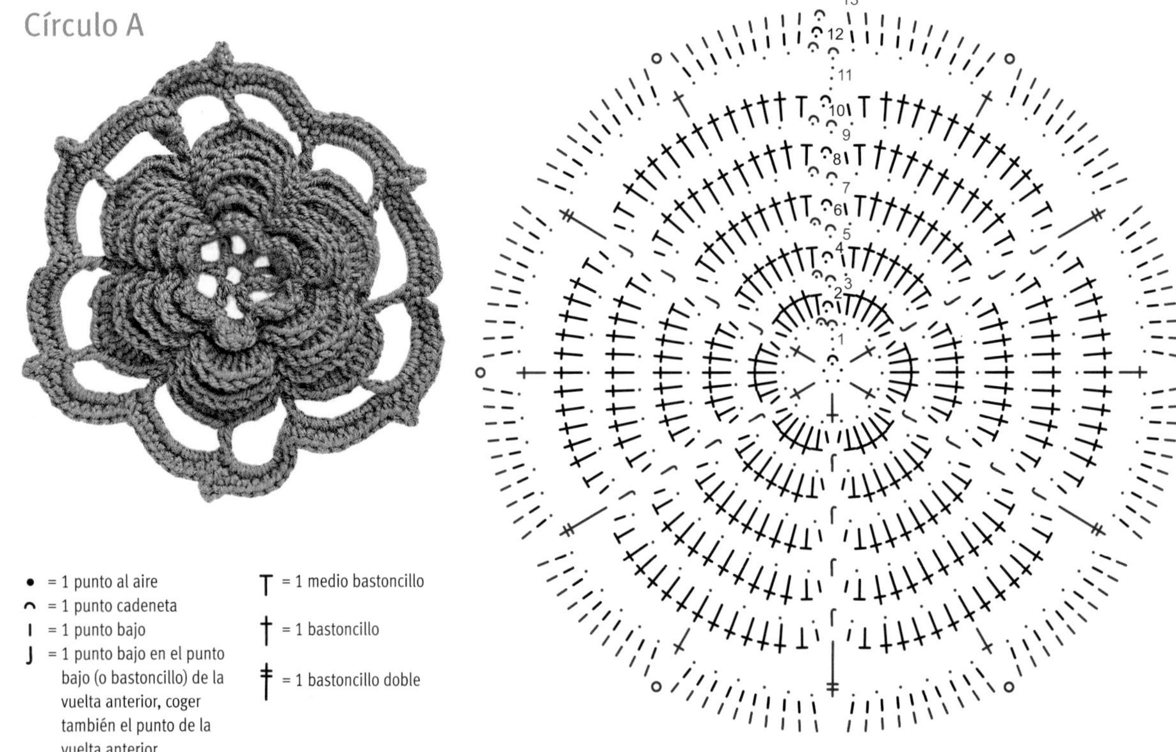

- • = 1 punto al aire
- ⌒ = 1 punto cadeneta
- I = 1 punto bajo
- J = 1 punto bajo en el punto bajo (o bastoncillo) de la vuelta anterior, coger también el punto de la vuelta anterior
- T = 1 medio bastoncillo
- † = 1 bastoncillo
- ‡ = 1 bastoncillo doble

Tejer 5 puntos al aire y cerrarlos con 1 punto cadeneta. Seguir las vueltas según el esquema de puntos. Cada vuelta comienza con puntos al aire de inicio tal como se ve en el dibujo y termina con 1 punto cadeneta en el último punto al aire de inicio. Comenzar la siguiente vuelta con otro punto cadeneta.

## Círculo B

- • = 1 punto al aire
- ⌒ = 1 punto cadeneta
- I = 1 punto bajo
- † = 1 bastoncillo

Tejer 8 puntos al aire y cerrar la vuelta con 1 punto cadeneta. Seguir las vueltas en círculo según el esquema de puntos. Cada vuelta comienza con puntos al aire de inicio para sustituir al 1.er punto y termina con 1 punto cadeneta en el último punto al aire inicial. La siguiente vuelta comienza según el dibujo, con puntos cadeneta.

## Triángulo

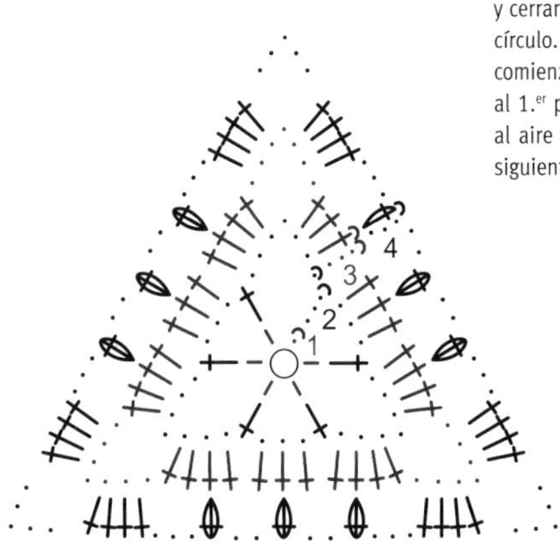


Tejer 2 puntos al aire; en el 1.er punto al aire trabajar 5 puntos bajos y cerrar con 1 punto cadeneta en el 2.º punto al aire para cerrar el círculo. Seguir en círculos según el esquema de puntos. Cada vuelta comienza, según el dibujo, con puntos al aire iniciales para sustituir al 1.er punto, y termina con 1 punto cadeneta en el último punto al aire inicial. Seguir con otro punto cadeneta para comenzar la siguiente vuelta.

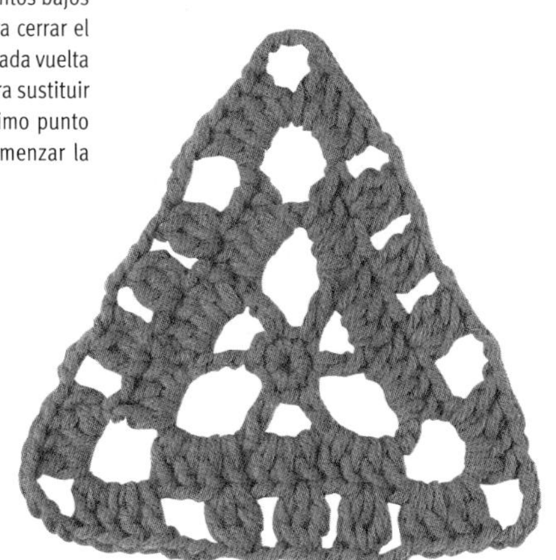

- • = 1 punto al aire
- ⌒ = 1 punto cadeneta
- I = 1 punto bajo
- † = 1 bastoncillo
- = 1 mota compuesta por 3 bastoncillos cerrados juntos en el mismo lugar

## Hexágono A

Tejer 6 puntos al aire y cerrar la vuelta con 1 punto cadeneta. Conforme al dibujo, se tejen 3 vueltas, que comienza cada una con 3 puntos al aire para sustituir al 1.er bastoncillo o a una lazada de mota y terminar con 1 punto cadeneta en el 3.er punto al aire inicial. Seguir con otro punto cadeneta para comenzar la vuelta siguiente. **Atención:** trabajar la 1.ª y 3.ª vueltas siempre en color A, la 2.ª vuelta siempre en color B y pasar el 2.º punto cadeneta con el color de la siguiente vuelta.

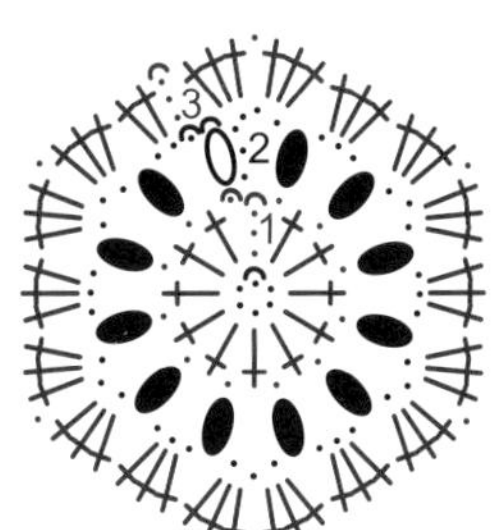


- • = 1 punto al aire
- ⌒ = 1 punto cadeneta
- † = 1 bastoncillo
- ● = 1 mota (1 vuelta, clavar alrededor del punto al aire de la vuelta anterior y sacar 1 lazada, a partir de * repetir × 3, pasar con una hebra todas las lazadas juntas y cerrar la mota con 1 punto al aire)
- 0: = 1 mota inicial (3 puntos al aire, * 1 vuelta, pinchar alrededor del punto al aire de la vuelta anterior y sacar una lazada, a partir de * repetir x 1, pasar con 1 hebra todas las lazadas juntas y cerrar la mota con 1 punto al aire

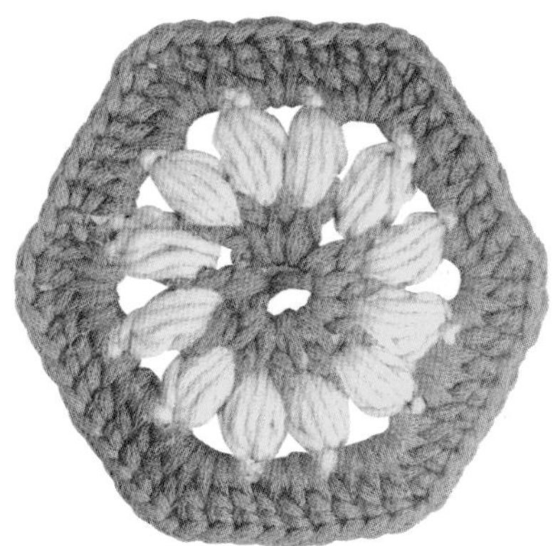

## Hexágono B

Si varios signos están dirigidos juntos hacia abajo, los puntos se tejen en el mismo lugar.

Tejer 5 puntos al aire y cerrar con 1 punto cadeneta para formar un círculo. Seguir las vueltas según el esquema de puntos. Cada vuelta comienza, como está dibujado, con puntos al aire iniciales para sustituir al 1.er punto y termina con 1 punto cadeneta en el último punto al aire inicial. En caso necesario tejer puntos cadeneta para comenzar la siguiente vuelta.

- • = 1 punto al aire
- ⌒ = 1 punto cadeneta
- I = 1 punto bajo
- † = 1 bastoncillo

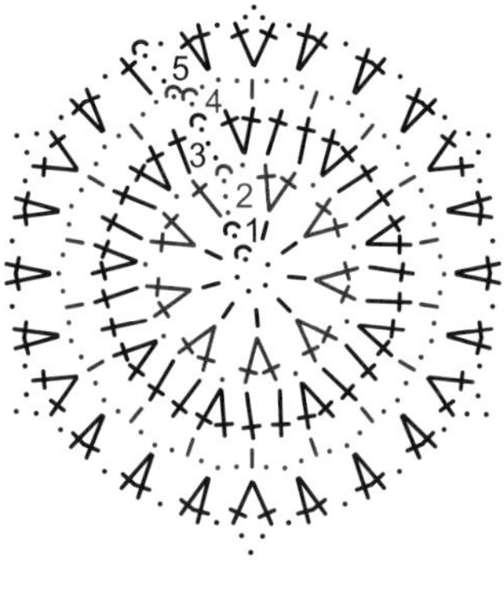


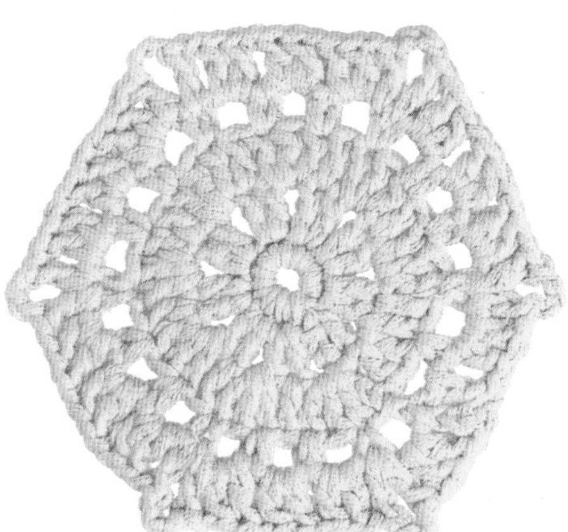

## Cuadrado A

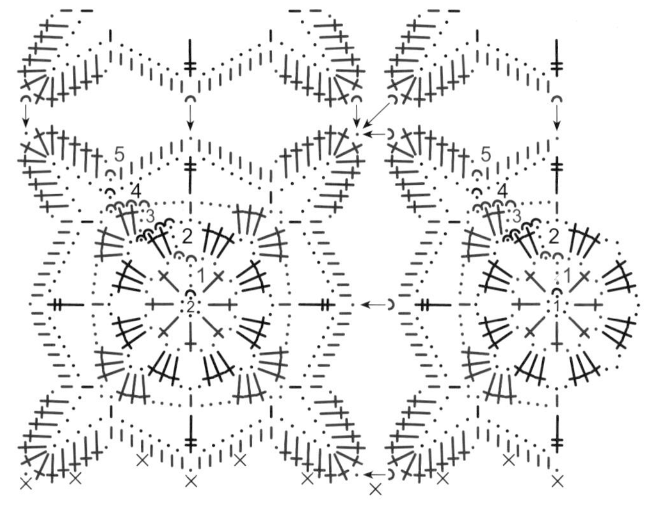


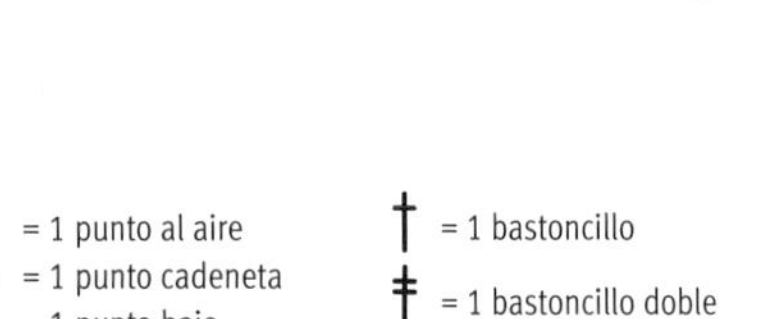


Si los signos están dirigidos juntos hacia abajo, tejer los puntos en el mismo lugar.

Para el 1.er motivo montar 6 puntos al aire y cerrar el círculo con 1 punto cadeneta. Tejer 5 vueltas que comienzan con puntos cadeneta para sustituir al 1.er punto y terminar con 1 punto cadeneta en el último punto al aire inicial. Tras la 1.a vuelta seguir 2.a + 3.a vueltas con puntos cadeneta para comenzar la siguiente vuelta, trabajar bastoncillos y puntos bajos siempre alrededor de los arcos de puntos al aire de la fila anterior.

Trabajar todos los motivos siguientes como el 1.er motivo y enlazar siempre en la 5.a vuelta del motivo anterior. En los lugares señalados con flechas sustituir el punto al aire de la punta o costados-centro por 1 punto cadeneta en el correspondiente punto al aire del motivo anterior. El esquema de puntos muestra el 1.er motivo, el 2.o motivo hacia la mitad y partes de la vuelta exterior del motivo colindante.

## Cuadrado B

- • = 1 punto al aire
- ◠ = 1 punto cadeneta
- I = 1 punto bajo
- = 1 bastoncillo
- = 1 bastoncillo doble
- = 1 piquillo (4 puntos al aire, 1 punto bajo hacia atrás en el 1.er punto al aire)

Si los signos están hacia abajo, se tejen juntos en un mismo lugar; si están hacia arriba, los puntos se pasan juntos.

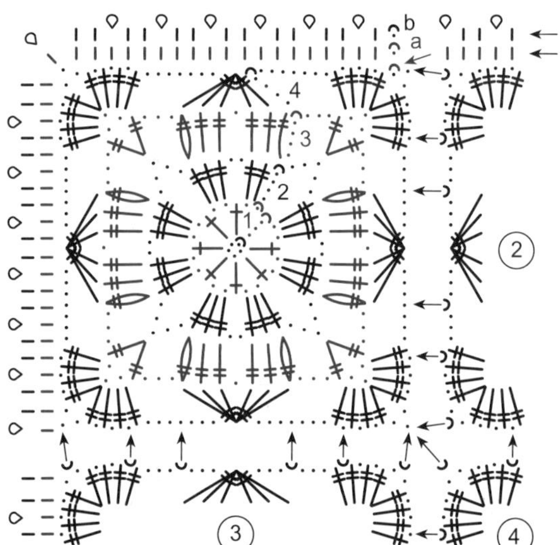


Tejer 5 puntos al aire y cerrar con 1 punto cadeneta para formar el círculo. Tejer 4 vueltas comenzando cada una con puntos al aire para sustituir al 1.er punto y terminar con 1 punto cadeneta en el último punto al aire inicial. Tras la 1.a vuelta seguir con otro punto cadeneta para comenzar la 2.a vuelta. Trabajar siempre bastoncillos dobles alrededor del arco de puntos al aire de la vuelta anterior. Todos los motivos siguientes en la 4.a vuelta enlazan con el motivo anterior. Para ello, en las flechas sustituir los puntos al aire por 1 punto cadeneta en el correspondiente punto al aire del motivo anterior. El esquema de puntos muestra el 1.er motivo, así como partes de la 4.a vuelta del motivo colindante y las 2 vueltas del borde (a + b). El tejido puede rematarse todo alrededor con piquillos y puntos bajos.

## Cuadrado C

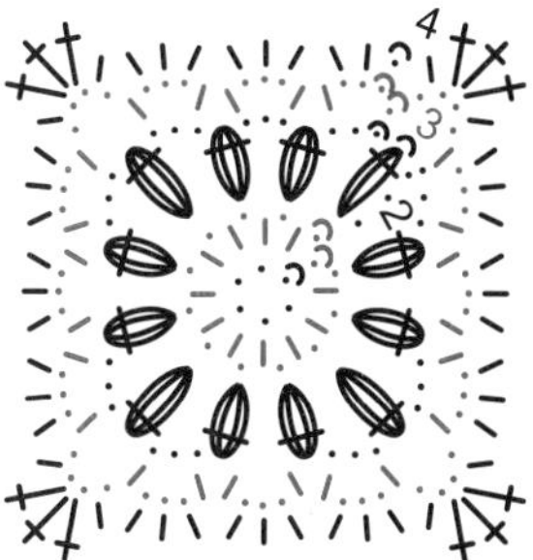

• = 1 punto al aire
ᴖ = 1 punto cadeneta
I = 1 punto bajo
† = 1 bastoncillo
 = 3 bastoncillos pinchados juntos en el mismo lugar

Si varios signos juntos están dirigidos hacia abajo, tejer los puntos en el mismo lugar.

Tejer 6 puntos al aire y cerrarlos con 1 punto cadeneta para formar un círculo. Trabajar conforme al esquema de puntos. Cada fila comienza con puntos al aire iniciales y termina con 1 punto cadeneta en el último punto al aire inicial. La siguiente vuelta se inicia con otro punto cadeneta.

## Cuadrado D

• = 1 punto al aire ᴖ = 1 punto cadeneta I = 1 punto bajo † = 1 bastoncillo

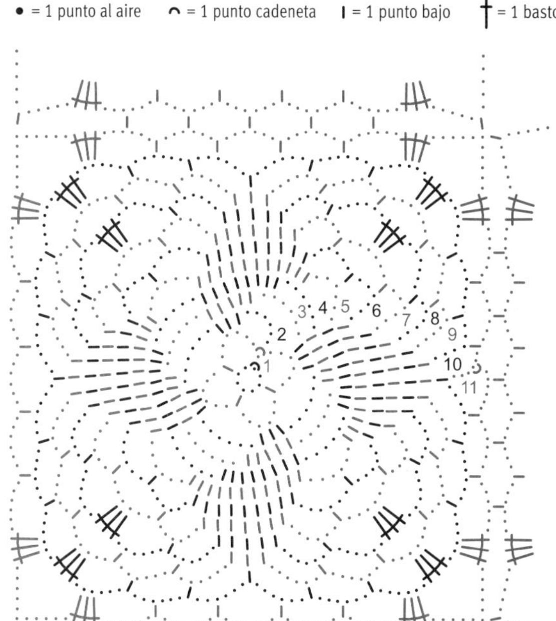

Tejer 8 puntos al aire para el 1.er motivo y cerrarlos con 1 punto cadeneta para formar el anillo. Seguir las vueltas conforme al esquema de puntos. Estas se tejen en forma de espiral, es decir, sin transición entre las vueltas con puntos al aire de sustitución o puntos cadeneta. Bastoncillos y puntos bajos se trabajan siempre alrededor de los arcos de puntos al aire de la fila anterior. Todos los siguientes motivos se trabajan como el 1.er motivo, pero en la vuelta 11.ª tejer los correspondientes puntos bajos alrededor de los arcos de puntos al aire del motivo anterior. El esquema de puntos muestra el 1.er motivo y cada vez la fila 11.ª de dos motivos colindantes.

## Cuadrado E

Si varios signos juntos están orientados hacia abajo, tejer los puntos en el mismo lugar. Tejer 4 puntos al aire y cerrar el círculo con 1 punto cadeneta. Trabajar las vueltas conforme al esquema de puntos.
Tal como aparece en el dibujo, si es necesario, pasar a la siguiente vuelta con puntos cadeneta.

Cada vuelta comienza como está dibujado, con puntos al aire de inicio para sustituir al 1.er punto, y termina con 1 punto cadeneta en el último punto al aire inicial.
Los motivos colindantes de los lugares señalizados con flechas se enlazan con puntos cadeneta.

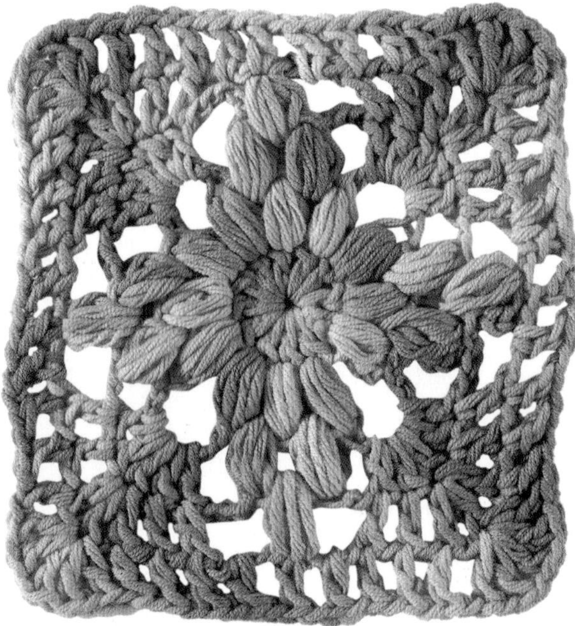

## Cuadrado F

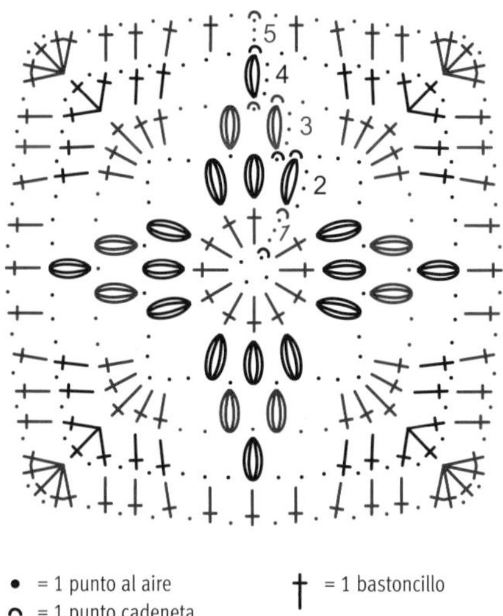


Si varios signos juntos están dirigidos hacia abajo, tejer los puntos en el mismo lugar. Tejer 4 puntos al aire y cerrar el círculo con 1 punto cadeneta. Trabajar las vueltas conforme al esquema de puntos.

Tal como aparece en el dibujo, si es necesario, pasar a la siguiente vuelta con puntos cadeneta.
Cada vuelta comienza como está dibujado, con puntos al aire de inicio para sustituir al 1.er punto y termina con 1 punto cadeneta en el último punto al aire inicial.

## Flor

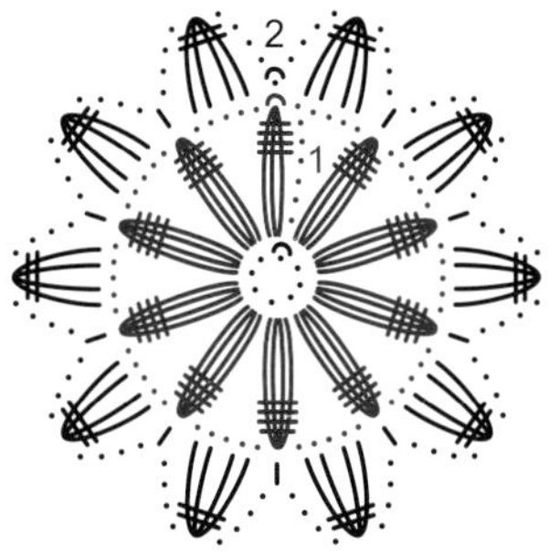

• = 1 punto al aire
⌒ = 1 punto cadeneta
I = 1 punto bajo
† = 1 bastoncillo doble
† = 1 bastoncillo cuádruple

Tejer 8 puntos al aire y cerrarlos con 1 punto cadeneta para formar un anillo. Seguir las vueltas según el esquema de puntos. Cada vuelta comienza como está dibujado, con puntos al aire de inicio para sustituir al 1.er punto, y termina con 1 punto cadeneta en el último punto al aire inicial. Si varios signos están dirigidos juntos hacia arriba, los puntos se pasan juntos.

## Hexágono C

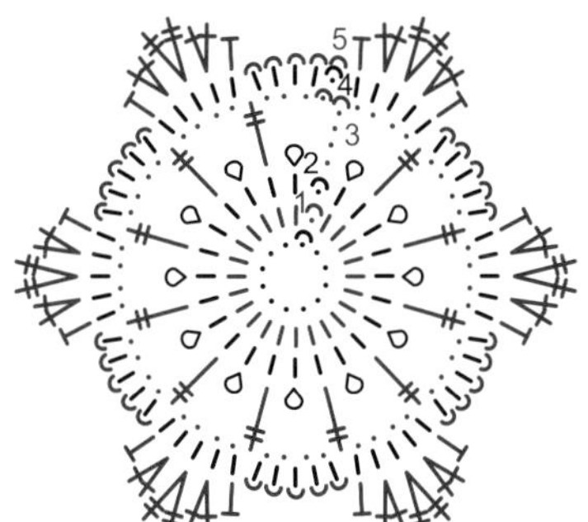

• = 1 punto al aire
⌒ = 1 punto cadeneta
I = 1 punto bajo
T = 1 medio bastoncillo
† = 1 bastoncillo
† = 1 bastoncillo doble
○ = 1 piquillo (3 puntos al aire, 1 punto bajo en el 1.er punto al aire)

Si varios signos juntos están orientados hacia abajo, tejer los puntos en el mismo lugar. Tejer 12 puntos al aire y cerrar el círculo con 1 punto cadeneta. Trabajar las vueltas conforme al esquema de puntos.
Cada vuelta comienza como está dibujado, con puntos al aire de inicio para sustituir al 1.er punto, y termina con 1 punto cadeneta en el último punto al aire inicial.

## Cuadrado G

• = 1 punto al aire
⌒ = 1 punto cadeneta
I = 1 punto bajo
T = 1 medio bastoncillo
† = 1 bastoncillo
† = 1 bastoncillo doble
⬮ = 1 punto borla (sacar 1 lazada, * 1 hebra, sacar 1 lazada, a partir de * repetir × 1, luego pasar juntas las 6 lazadas)

Si varios signos juntos están dirigidos hacia abajo, tejer los puntos en el mismo lugar. Tejer 6 puntos al aire y cerrar el círculo con 1 punto cadeneta. Trabajar las vueltas conforme al esquema de puntos.
Cada vuelta comienza como está dibujado, con puntos al aire de inicio para sustituir al 1.er punto, y termina con 1 punto cadeneta.

## Octógono

- • = 1 punto al aire
- ⌒ = 1 punto cadeneta
- I = 1 punto bajo
- † = 1 bastoncillo
- ‡ = 1 bastoncillo doble
- ⧧ = 1 bastoncillo triple

Si varios signos juntos están dirigidos hacia abajo, tejer los puntos en el mismo lugar. Tejer 4 puntos al aire y cerrar el círculo con 1 punto cadeneta. Trabajar las vueltas conforme al esquema de puntos.
Cada vuelta comienza como está dibujado, con puntos al aire de inicio para sustituir al 1.$^{er}$ punto, y termina con 1 punto cadeneta en el último punto al aire inicial. En caso necesario, tal como está dibujado, pasar por encima con puntos cadeneta hasta que comience la siguiente vuelta.

## Cuadrado H

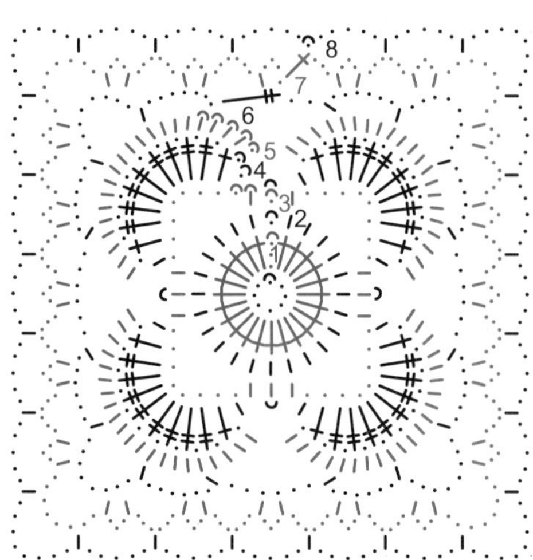

- • = 1 punto al aire
- ⌒ = 1 punto cadeneta
- I = 1 punto bajo
- † = 1 bastoncillo
- ‡ = 1 bastoncillo doble

Tejer 8 puntos al aire y cerrar el círculo con 1 punto cadeneta. Trabajar las vueltas conforme al esquema de puntos. Cada vuelta comienza como está dibujado, con puntos al aire de inicio para sustituir al 1.$^{er}$ punto, y termina con 1 punto cadeneta o 1 bastoncillo (doble) en el último punto al aire inicial. En caso necesario, tal como está dibujado, pasar por encima con puntos cadeneta hasta que comience la siguiente vuelta.

## Cuadrado I

- • = 1 punto al aire
- ◠ = 1 punto cadeneta
- I = 1 punto bajo
- T = 1 medio bastoncillo
- † = 1 bastoncillo

Tejer 7 puntos al aire y cerrar el círculo con 1 punto cadeneta. Trabajar las vueltas conforme al esquema de puntos. Cada vuelta comienza como está dibujado, con puntos al aire de inicio para sustituir al 1.er punto, y termina con 1 punto cadeneta en el último punto al aire inicial. Como está dibujado, seguir con puntos cadenetas hasta el comienzo de la siguiente vuelta. A partir de la 4.ª vuelta trabajar siempre los grupos de bastoncillos alrededor de los puntos al aire de la vuelta anterior.

## Cuadrado K

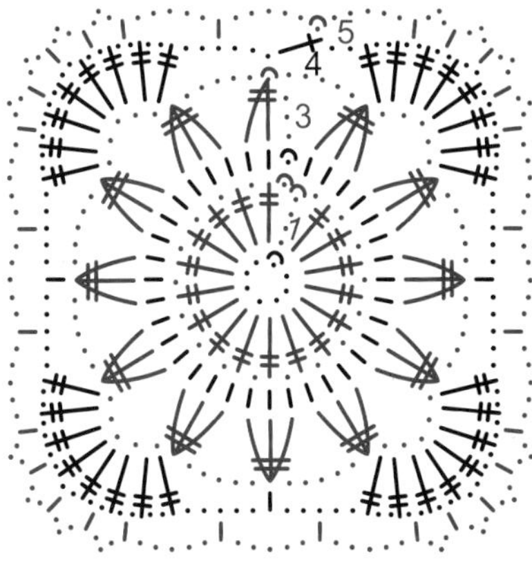

- • = 1 punto al aire
- ◠ = 1 punto cadeneta
- I = 1 punto bajo
- † = 1 bastoncillo
- ǂ = 1 bastoncillo doble

Tejer 8 puntos al aire y cerrar el círculo con 1 punto cadeneta. Trabajar las vueltas conforme al esquema de puntos. Cada vuelta comienza como está dibujado, con puntos al aire de inicio para sustituir al 1.er punto, y termina con 1 punto cadeneta o 1 bastoncillo en el último punto al aire inicial. En caso necesario, tal como está dibujado, pasar por encima con puntos cadeneta hasta que comience la siguiente vuelta. Si varios signos están orientados juntos hacia arriba, los puntos se pasan juntos.

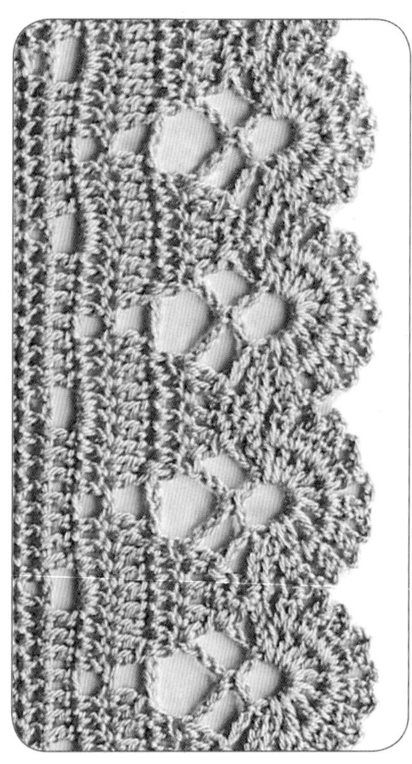

## Encaje de medianoche

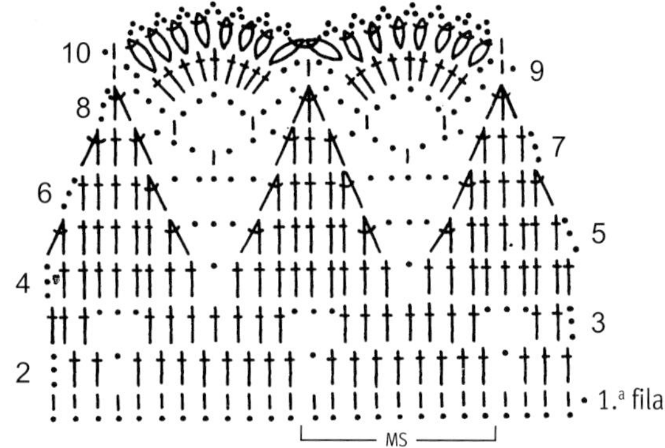


- • = 1 punto al aire
- I = 1 punto bajo
- † = 1 bastoncillo
- = 2 bastoncillos pasados juntos
- = 3 bastoncillos pasados juntos
- = 2 bastoncillos pasados juntos en el mismo lugar
- = 2 × 2 bastoncillos pasados juntos en el mismo lugar

Número de puntos al aire muestra divisible por 9 + 7 + 1 puntos al aire de giro.

## Altas cumbres

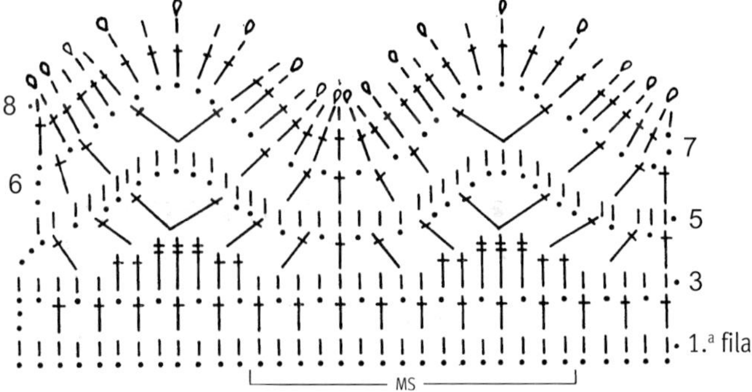


- • = 1 punto al aire
- I = 1 punto bajo
- = 1 piquillo (3 puntos al aire, 1 punto bajo en el 1.er punto al aire)
- † = 1 bastoncillo
- = 1 bastoncillo doble
- = 1 bastoncillo, 5 puntos al aire y 1 bastoncillo pinchados en el mismo lugar

Número de puntos al aire muestra divisible por 16 + 1 + 1 puntos al aire de giro.

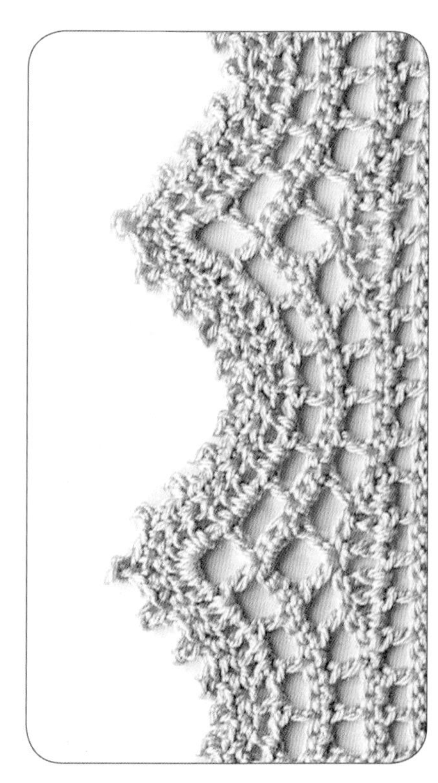

## Tilos

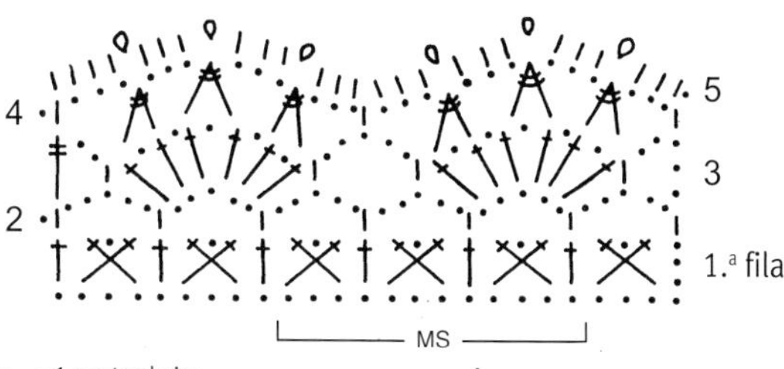

- • = 1 punto al aire
- I = 1 punto bajo
- 0 = 1 piquillo (3 puntos al aire, 1 punto bajo en el 1.er punto al aire)
- † = 1 bastoncillo
- ‡ = 1 bastoncillo doble
- = pasar por encima 2 puntos al aire, 1 bastoncillo, 1 punto al aire, luego tejer hacia atrás 1 bastoncillo en el 1.º de los 2 puntos al aire pasados por encima
- = 2 bastoncillos dobles pasados juntos

Número de puntos al aire muestra divisible por 12 + 1 + 3 puntos al aire de giro.

## Ramos de rosas

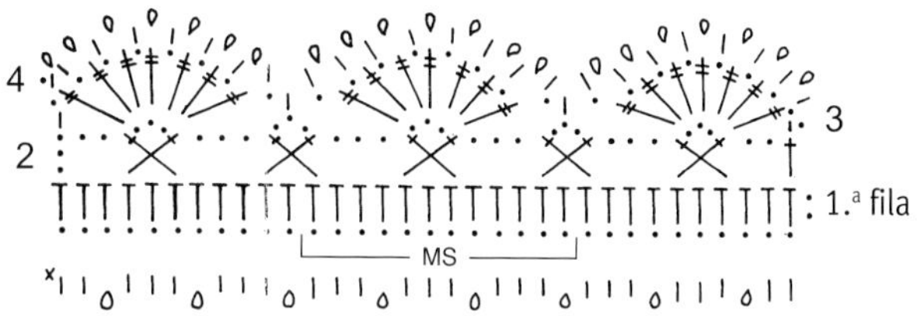

- • = 1 punto al aire
- I = 1 punto bajo
- 0 = 1 piquillo (3 puntos al aire, 1 punto bajo en el 1.er punto al aire)
- T = 1 medio bastoncillo
- † = 1 bastoncillo
- = 1 bastoncillo cruzado separado por 3 puntos al aire

Número de puntos al aire muestra divisible por 12 + 9 + 2 puntos al aire de giro.
Para terminar, volver a unir en X y tejer la fila de piquillos sobre los puntos al aire muestra.

## Coronas principescas

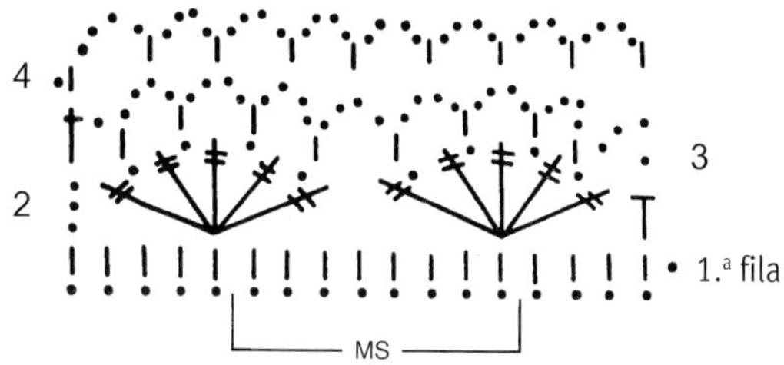

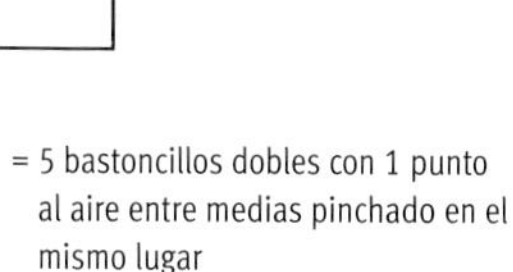

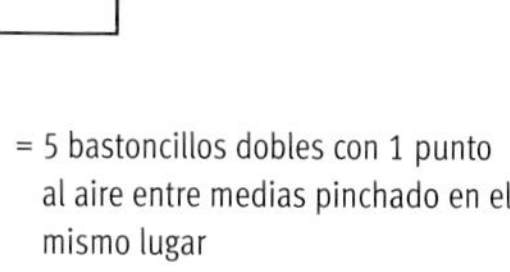

- • = 1 punto al aire
- I = 1 punto bajo
- T = 1 medio bastoncillo
- † = 1 bastoncillo
- = 5 bastoncillos dobles con 1 punto al aire entre medias pinchado en el mismo lugar

Número de puntos al aire muestra divisible por 8 + 1 + 1 puntos al aire de giro.

## Gran montaña de hielo

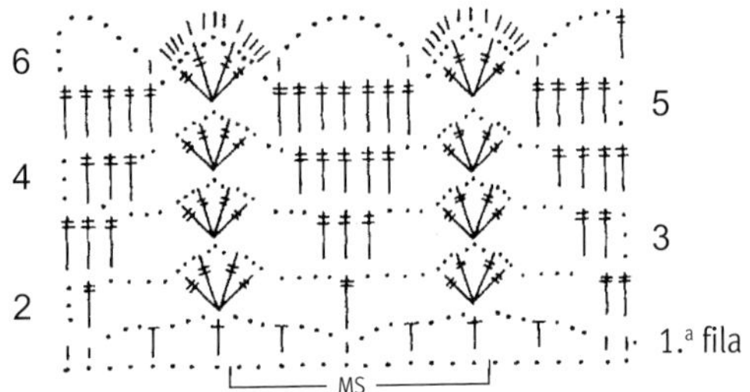


- • = 1 punto al aire
- ı = 1 punto bajo
- T = 1 medio bastoncillo
- † = 1 bastoncillo
- ǂ = 1 bastoncillo doble
- = 1 bastoncillo doble, 3 puntos al aire, 1 bastoncillo doble, 3 puntos al aire, 1 bastoncillo doble, 3 puntos al aire, 1 bastoncillo doble pinchados en el mismo lugar

Número de puntos al aire muestra divisible por 12 + 3 + 1 puntos al aire de giro.

## Puntas de pirámides

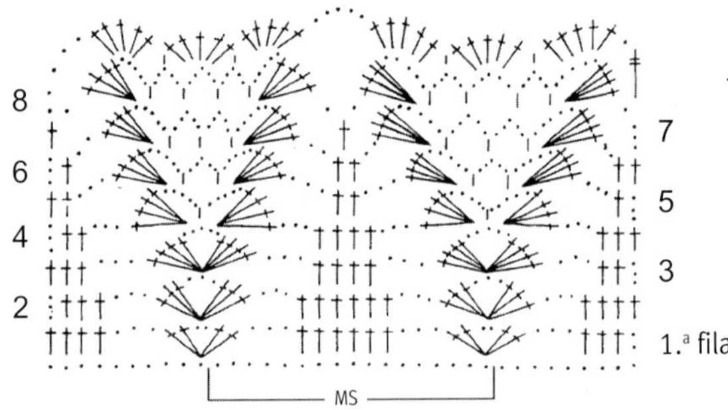


Número de puntos al aire muestra divisible por 17 + 2 + 2 puntos al aire de giro.

- • = 1 punto al aire
- ı = 1 punto bajo
- † = 1 bastoncillo
- ǂ = 1 bastoncillo doble
-  = 2 bastoncillos, 2 puntos al aire y 2 bastoncillos pinchados en el mismo lugar
- 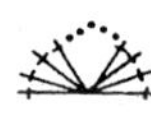 = 4 bastoncillos, 5 puntos al aire y 4 bastoncillos pinchados en el mismo lugar

## Entredós con claveles

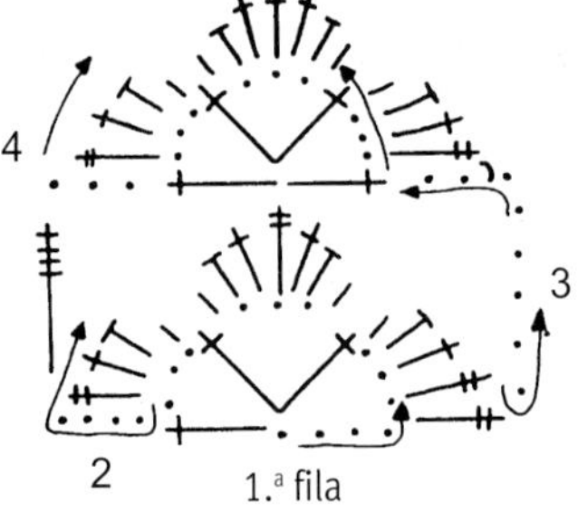


- • = 1 punto al aire
- ∩ = 1 punto cadeneta
- ı = 1 punto bajo
- T = 1 medio bastoncillo
- † = 1 bastoncillo
- ǂ = 1 bastoncillo doble
- = 1 bastoncillo cuádruple
- 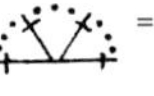 = 1 bastoncillo, 3 puntos al aire, 1 bastoncillo, 3 puntos al aire, 1 bastoncillo, 3 puntos al aire y 1 bastoncillo pinchados en el mismo lugar

Muestra: 4 + 3 puntos al aire de giro. Repetir siempre filas 3 y 4; luego el encaje se teje de la siguiente forma: * 1 punto bajo, 1 piquillo (3 puntos al aire, 1 punto bajo en el 1.er punto al aire), 2 puntos bajos, 1 piquillo y 1 punto bajo, a partir de * repetir en lo sucesivo sobre cada arco de puntos al aire o bastoncillos triples.

## Encaje con rosas

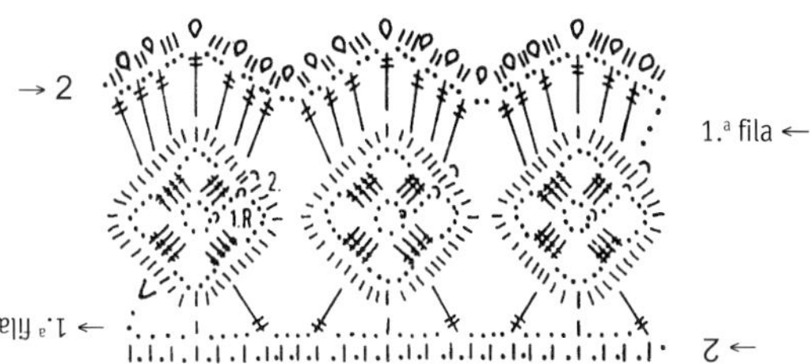


- • = 1 punto al aire
- ı = 1 punto bajo
- ∩ = 1 punto cadeneta
- ο = 1 piquillo (3 puntos al aire, 1 punto bajo en el 1.er punto al aire)
- ǂ = 1 bastoncillo doble

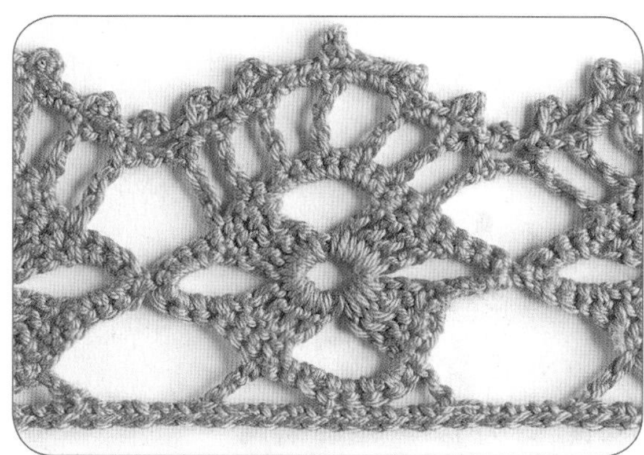

Cada rosita se teje con 8 puntos al aire que se cierran con 1 punto cadeneta para formar un anillo. Tejer el número de rositas que se desee, unirlas y tejer finalmente los bordes rectos.

## Entredós ancho con flores

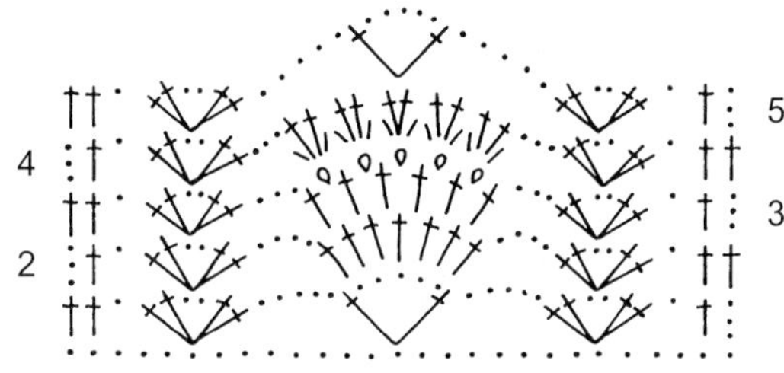


- • = 1 punto al aire
- ı = 1 punto bajo
- † = 1 bastoncillo
- = 2 bastoncillos, 2 puntos al aire y 2 bastoncillos pinchados en el mismo lugar
- = 1 punto bajo, 2 bastoncillos y 1 punto bajo pinchados en el mismo lugar
- ο = 1 piquillo (3 puntos al aire, 1 punto bajo en el 1.er punto al aire)
- = 1 bastoncillo, 5 puntos al aire y 1 bastoncillo pinchados en el mismo lugar

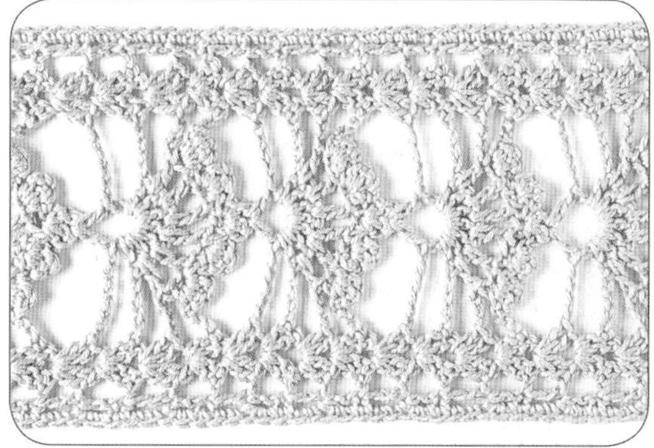

Montar 27 + 3 puntos al aire de giro.
Repetir siempre filas 2-5. Los bordes se tejen todo alrededor con puntos fijos.

## Encaje con soles

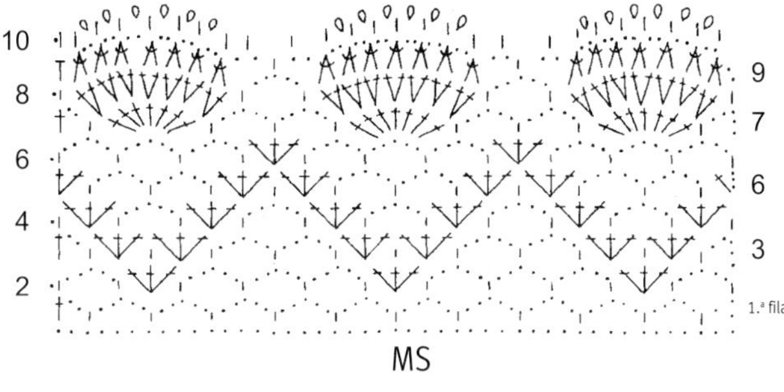


- • = 1 punto al aire
- ı = 1 punto bajo
- ο = 1 piquillo (3 puntos al aire, 1 punto bajo en el 1.er punto al aire)
- † = 1 bastoncillo
- = 2 bastoncillos pinchados juntos
- = 2 bastoncillos pasados juntos
- = 3 bastoncillos pinchados juntos

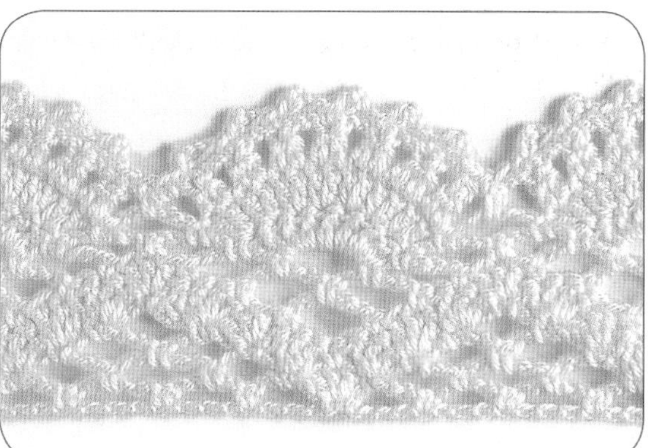

Número de puntos al aire muestra divisible por 16 + 13 + 3 puntos al aire de giro.

# OTROS TÍTULOS PUBLICADOS

SERIE MUÑECOS DE GANCHILLO
Nuevos muñecos de ganchillo
MINIS AMIGURUMI
con cuentas, abalorios, cintas, botones...
CON GRÁFICOS PARA REALIZAR 22 PROYECTOS

Broches de moda con
Flores de Ganchillo
26 PROYECTOS PASO A PASO

SERIE GANCHILLO
Atractiva bisutería de
Ganchillo con cuentas
30 PROYECTOS PASO A PASO

Bisutería y complementos
con Flores de Ganchillo
17 PROYECTOS PASO A PASO

SERIE GANCHILLO
Repostería
tejida a Ganchillo
15 PROYECTOS PASO A PASO

SERIE GANCHILLO
Curso práctico
de Ganchillo
50 MUESTRAS DE MOTIVOS Y CENEFAS

SERIE GANCHILLO
Gorros de Ganchillo
14 PROYECTOS PASO A PASO

SERIE BOLSOS
BOLSOS
DE GANCHILLO
Nuevos diseños de última moda
16 MODELOS PASO A PASO

SERIE PATUCOS
Patucos para bebés
tejidos a Ganchillo
13 PROYECTOS PASO A PASO

SERIE BOLSOS
Bolsos extragrandes
de Ganchillo y Punto
13 PROYECTOS PASO A PASO

SERIE CALENTADORES
Calentadores
de Punto y Ganchillo
para piernas y brazos
14 PROYECTOS PASO A PASO

SERIE TRAPILLO
Bolsos y objetos para la casa
de Trapillo
tejidos a Ganchillo y Punto
17 PROYECTOS PASO A PASO

EL GRAN LIBRO DE
MUESTRARIO
DE PUNTOS
DRAC

EL LIBRO DE
EL PUNTO
300 ideas a todo color, fáciles de realizar, para toda la familia
Lesley Stanfield

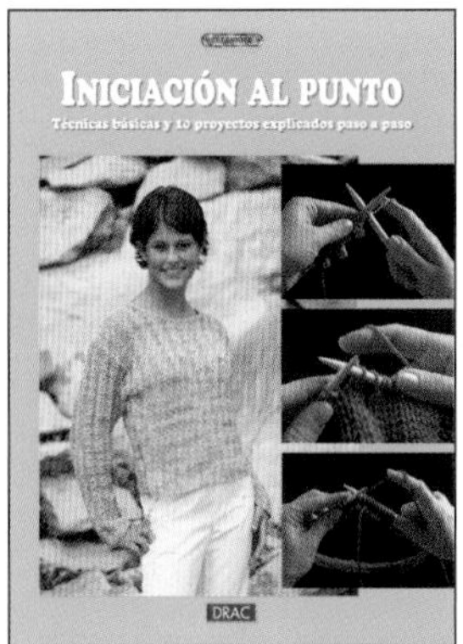
INICIACIÓN AL PUNTO
Técnicas básicas y 10 proyectos explicados paso a paso
DRAC

Cómo progresar en el
Punto
Técnicas avanzadas y 10 proyectos explicados paso a paso
DRAC

Punto Lace
Más de 30 muestras de puntos calados explicados paso a paso y magníficos proyectos fáciles de hacer
LYNNE WATTERSON
DRAC

Punto de Cable
Más de 30 muestras de puntos trenzados explicados paso a paso y magníficos proyectos fáciles de hacer
LYNNE WATTERSON
DRAC

COMPLEMENTOS
DE PUNTO
TEJIDOS EN TELARES
CIRCULARES Y RECTOS
CREA TUS COMPLEMENTOS
Más de 25 proyectos explicados paso a paso con técnicas sencillas
DRAC

Utilizar
Adaptar
Diseñar
Cómo utilizar, adaptar y diseñar
Patrones de Punto
Una guía imprescindible para sacar el máximo partido a los patrones de punto.
DRAC

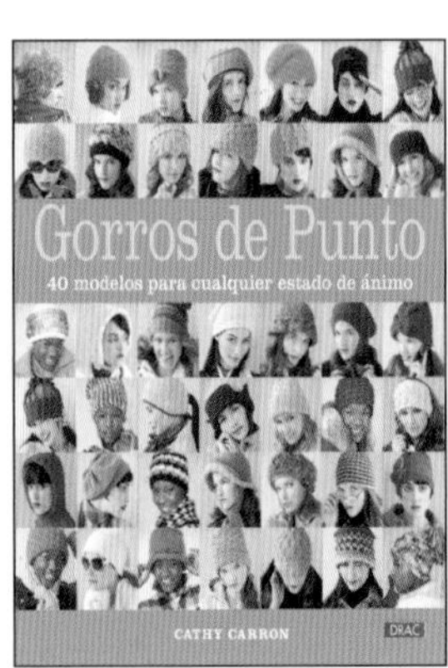
Gorros de Punto
40 modelos para cualquier estado de ánimo
CATHY CARRON
DRAC

CATHY CARRON
Bufandas de Punto
42 modelos de cuellos, capuchas, chales, ponchos...
DRAC

CHAQUETAS DE PUNTO
Louisa Harding
DRAC

UNO
UNO
BUFANDAS, CUELLOS, CHALES y BOLEROS de PUNTO
Más de 25 PROYECTOS tejidos con solo 2 MADEJAS
DRAC

Flores de Punto
Más de 50 diseños fáciles de hacer
Nicky Epstein
DRAC

Monstruos de Punto
20 muñecos traviesos y encantadores, fáciles de tejer
Rebecca Danger
DRAC

SERIE PUNTO
Complementos tejidos a punto
17 PROYECTOS PASO A PASO

CREA con PATRONES
SERIE PUNTO
Moda para niños tejida a punto
SIMONE RAAB
CON PATRONES PARA REALIZAR 16 PROYECTOS

SERIE PUNTO
Tops de punto para jóvenes Teens
ANNIKA BECK
18 PROYECTOS SUPERFÁCILES PASO A PASO

SERIE PUNTO
Curso práctico de Punto
22 MUESTRAS Y SUS TÉCNICAS PASO A PASO

SERIE PUNTO
Bolas de Navidad tejidas a Punto
32 PROYECTOS PASO A PASO

SERIE PUNTO
Sorprendentes Gorros de Punto
13 PROYECTOS PASO A PASO

SERIE PUNTO
Bufandas de Punto
Modelos clásicos y modernos
15 PROYECTOS PASO A PASO

CREA con PATRONES
SERIE POMPONES
Animales fáciles de hacer con POMPONES
CON PATRONES PARA REALIZAR 13 PROYECTOS

SERIE POMPONES
Personajes y animales con POMPONES
y foam, escobillones, fieltro...
BARBARA KALK
29 PROYECTOS SUPERFÁCILES PASO A PASO

CREA con PATRONES
SERIE POMPONES
Realizar animales con POMPONES
combinando lanas de colores
CON PATRONES PARA REALIZAR 11 PROYECTOS

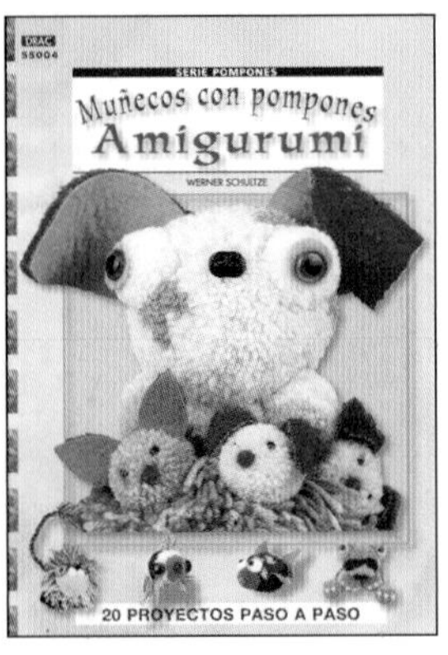
SERIE POMPONES
Muñecos con pompones
Amigurumi
WERNER SCHULTZE
20 PROYECTOS PASO A PASO

CREA con PATRONES
SERIE POMPONES
ANIMALES
CON POMPONES
y fieltro, cuentas, foam, escobillones...
JASMIN ÜRÜM
CON PATRONES PARA REALIZAR 18 PROYECTOS

CREA con PATRONES
SERIE POMPONES
Animales y muñecos con pompones
Amigurumi
WERNER SCHULTZE
CON PATRONES PARA REALIZAR 12 PROYECTOS

CREA con PATRONES
SERIE POMPONES
Animales, flores y frutas
con Pompones
CON PATRONES PARA REALIZAR 12 PROYECTOS

EL LIBRO DE
EL BORDADO
CON CUENTAS
Y ABALORIOS
de la A a la Z
Guía imprescindible para todas las bordadoras

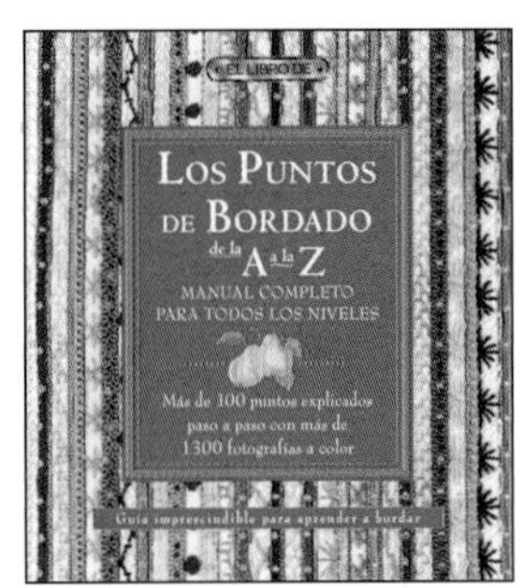
EL LIBRO DE
LOS PUNTOS
DE BORDADO
de la A a la Z
MANUAL COMPLETO
PARA TODOS LOS NIVELES
Más de 100 puntos explicados
paso a paso con más de
1300 fotografías a color
Guía imprescindible para aprender a bordar

EL LIBRO DE
PUNTOS
NUEVOS
VOL. 2
LOS PUNTOS
DE BORDADO
de la A a la Z

EL LIBRO DE
LOS PUNTOS
DE BORDADO
CON CINTAS
de la A a la Z
40 puntos de bordado con cintas

EL LIBRO DE
MANUAL COMPLETO DE
Costura
TODAS LAS TÉCNICAS EXPLICADAS PASO A PASO

El GRAN LIBRO
de la COSTURA
MÁS DE 300 TÉCNICAS PASO A PASO • 18 PROYECTOS CREATIVOS
NUEVAS IDEAS DE CONFECCIÓN BÁSICA Y PROFESIONAL
ALISON SMITH
DRAC

Cómo
utilizar,
adaptar
y diseñar
Patrones
de Costura
LEE HOLLAHAN
DRAC

Teresa Gilewska
Diseño de moda
Arreglos y
modificaciones de
prendas de vestir
DRAC